NONFICTION
論創ノンフィクション
052

カルパナ

ネパールの子どもたち、二〇年の記録

八木澤高明

論創社

はじめに

二〇代のはじめにネパールを初めて訪ねてから、早いもので三〇年が経った。
この写真集は、大まかに五つの章からなっている。写真家を志して、インドとの国境から近いソウラハ村に滞在し、カルパナという名の少女とその一家、村の子どもたちにカメラを向けたのが第一章。
村には、日本に一時帰国したりした期間を除いて、一年ほど滞在したと思う。カルパナと村の子どもたちの無邪気な表情に魅了された一方で、時に村を離れた時に町のレストランやバザールなどで働く子どもたちの姿が目についた。彼らは、子どもらしからぬ大人びた表情する子がいたり、幼くして日々の生活に疲れ哀しげな目をした子がいた。ソウラハ村の子どもとのギャップにカメラを向けたのが第二章。
カルパナ一家との生活の中でネパールの社会や慣習などに興味が湧き、カルパナの父親の故郷である中部ネパールの山村に二週間ほど滞在して、村の人々にカメラを向けたのが第三章。斜面を利用した段々畑が広がる山村はダイリン村といって、カースト制度で一番位の高いブーラマンの家に泊めてもらった。村には被差別カーストの一家も暮らしていて、彼らは田畑を所有しておらず、借り入れが終わった田んぼに落ちた稲穂を必死に拾っていた。のどかな風景の中に潜む厳しい貧困を見た。
　私が滞在していた村からさらに西の山村では、その頃毛沢東主義を旗印にマオイストが武装闘争をはじめていた。貧困の解消、王制打破のスローガンは貧しい農民たちの心をとらえ、マオイストは年々勢力を拡大していった。武装闘争の最前線にいたのは、山村の若者たちで、その多くが戦闘で命を落とした。そんな若者たちを中心にカメラを向けたのが第四章。
　マオイストとネパール政府の戦闘は、二〇〇六年に終結。私はソウラハ村からはじまり、ネパールの社会問題を取材したが、ソウラハには一〇年以上足を運ぶことはなかった。ひとことで言えば、戦場など生々しい現場に足を運びたいという気持ちから、足が遠のいてしまった。
　マオイストなどの取材がひと段落した二〇一〇年、一六年ぶりにソウラハを訪ねた。成長したカルパナに出会ったのが第五章。
　ざっとこのような形で写真が並んでいる。写真を通じて、ネパール社会の移り変わりやひとりの表現者の成長を感じてもらえたら幸いです。

目次

カルパナの村

20代前半の私が滞在した、ネパール南部ソウラハ村に暮らす少女カルパナ（8歳）とイサリ（12歳）。村のそばにジャングルが広がり、夜になると野生のサイなどが出没した

学校に行く前のおめかし

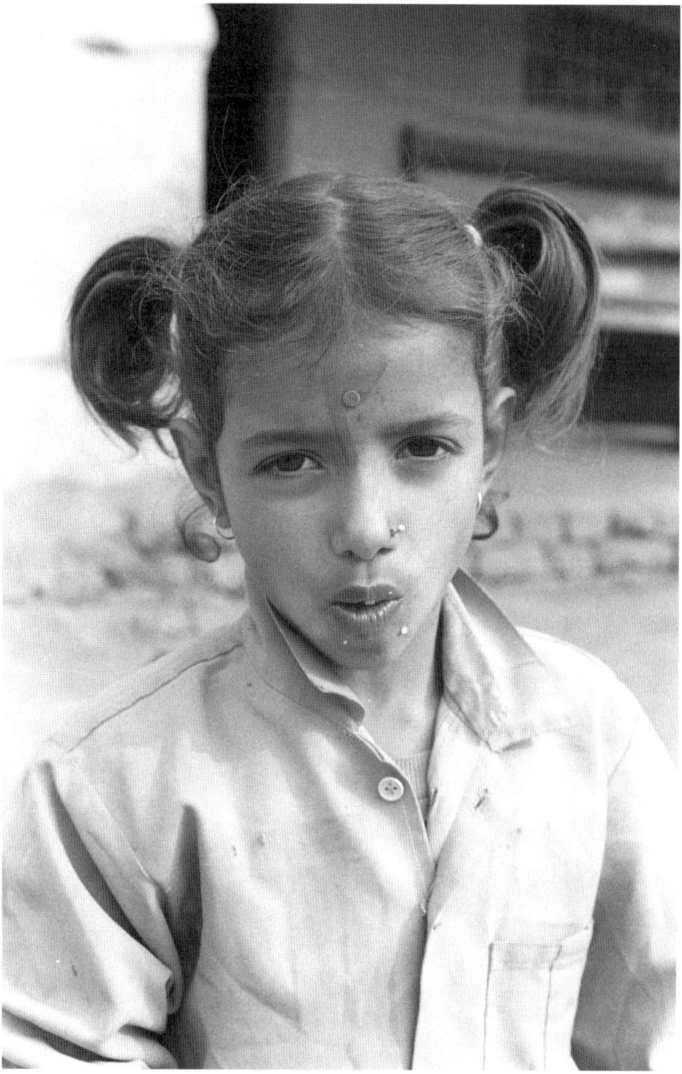

村の茶店でチャーと呼ばれるミルクティーを飲むカルパナ

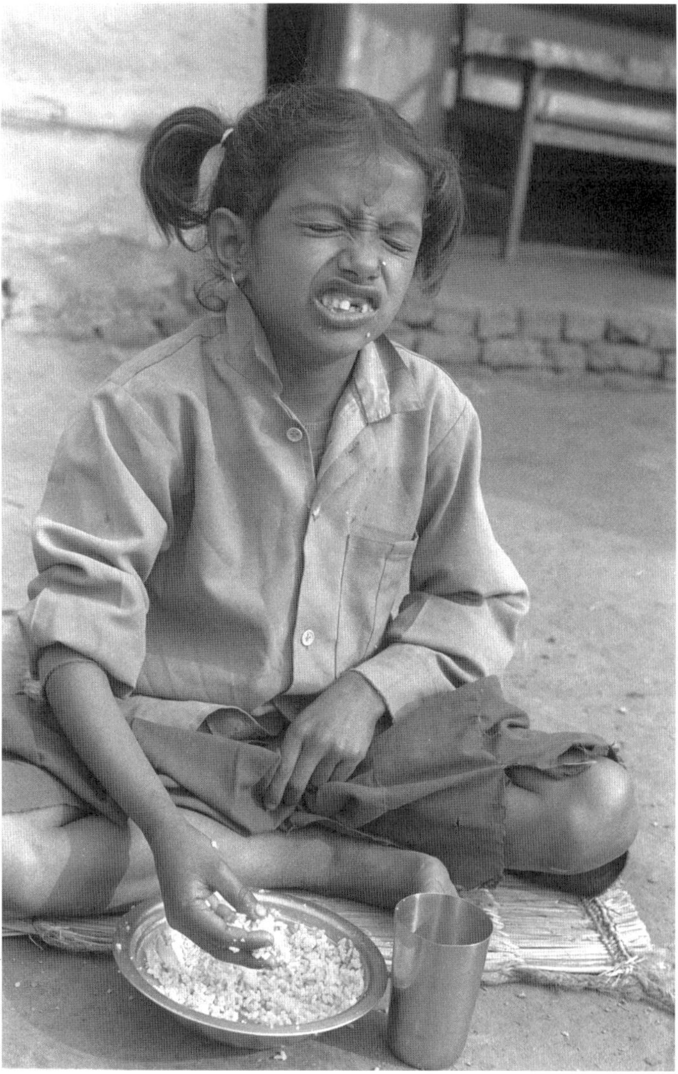

ダルバートと呼ばれる豆のスープとご飯の食事を取る

今から二七年ほど前の日記は、こんな書き出しで始まっていた。

一九九六年一一月二九日

旅立ちの日。東京の空はねずみ色の厚い雲に覆われ、今にも雨が降り出しそうな雰囲気だった。

「納得できる写真を撮れるだろうか」

そんな不安でいっぱいの僕の心を空模様で表現したら、まさしく今日の空模様だろう。本当なら、旅立ちの朝ぐらい、僕の不安を吹き飛ばすようにきれいに晴れ上がってもらいたいものなのだ。

当時カメラマンとは名ばかりで、旅館の住み込みや建設現場などのアルバイトを繰り返していた。そうした仕事で資金を捻出しては、ネパールを訪れ撮影することを繰り返していた。何の未来も見通せない日々、ただネパールで写真を撮り続けることが、目の前の不安を取り去る唯一の手段だと信じていた。

この旅に出る一カ月前の一九九六年一〇月、私は長野県の白骨《しらほね》温泉にある旅館に住み込みで働いていた。北アルプスのふところに抱かれた高原にある温泉。のんびりと湯に浸かるのなら、このうえない場所だった。

木造建築の趣きのある旅館の建物とは裏腹に、アルバイトの私が寝泊まりしていたのは、昼なおうす暗い渓流沿いの工事現場を思わせるプレハブ小屋だった。
時折、渓谷沿いにカモシカが現れるような、野趣あふれる場所だったが、当時の私にはそれを愛でる余裕はなく、日々の労働の憂さ晴らしに、カモシカに石を投げたりしたこともあった。色鮮やかな紅葉が山全体を覆っていたが、落ち着いてカメラを向ける心境にもなれず、どこかぎすぎすした気持ちで労働を金に変える日々を送っていた。
アルバイトが暮らすプレハブ小屋には、画家志望の純平、事故で作った借金の返済のために働いている吉田さん、大学卒業までの時間をアルバイトしにきた石鍋。他には何十年と温泉に住み込みアルバイトをしている山田、元々キックボクサーだか空手家をしていたという筋骨隆々の徳山など、世間と隔絶した山里だけあって、一風変わった人物たちが集っていた。
紅葉が終わり、木々から葉が抜け落ちる頃、温泉旅館を後にした。一カ月の労働で得た二〇万円を握りしめ、バスで松本駅へと向かった。平日の昼間、がらんとした駅のホームで新宿へと向かう列車を待つ間、心の中が晴れ晴れとしてきたのを今でも覚えている。温泉旅館での労働は、ただ現金を得るためだけのものだったが、これから始まるネパールへの旅は、しっかりとした写真を撮ってカメラマンとしての未来が開けるはずだという、根拠のない自信があふれていたのだ。

温泉旅館から東京に帰ると、当時暮らしていた練馬の「おもだか荘」という名の木造アパートのねぐらに戻った。六畳一間と台所、トイレがあるだけの風呂なしアパート。ライターを志していた早坂、旅行会社に勤めていたが共同生活はおもしろそうだと一緒に暮らすことになった釜井の三人で暮らしていた。六畳の一人二畳が持ち場で、四方は家に囲まれ、まったく陽が射さない薄暗い部屋。台所は私が暗室にしていて、歩くたびに沈む床は腐りかけていた。時々、こんなむさ苦しい場所にも、友人たちが顔を出した。出版社に勤めたものの、社長とケンカして、一カ月で止めた上原はしばらく滞在し、ミカン箱の上にワープロを置いて原稿を書いていた。彼はのちに大宅壮一ノンフィクション賞を取るのだが、この時はただの小生意気な若造にすぎなかった。

旅立ちの前日には、写真の焼き方から撮影術まで写真のイロハを惜しみなく教えてくれたカメラマンの国さんが、景気づけに中野駅前にあるラーメン屋で一杯の味噌ラーメンをおごってくれた。国さんの友情に胸が熱くなり、一杯のラーメンはなにものにも勝る味だった。あの味は今でもはっきりと覚えている。国さんは今では北海道新聞のカメラマンをしているが、当時はスーパーの食品売り場でレジを打っていた。私のまわりの誰もが先行きの見えない不安の中に暮らしていたが、それを口に出さず、未来の希望ばかりを信じていた。

日記に記された日、学生時代から幾度となく使ってきた七〇リットルの登山用のバックパックに寝袋と一五〇本のフィルムを詰め、肩からはカメラ二台とレンズが五本入ったカメラバックを担いでネパールへ向かった。
ネパールでは、子どもたちの写真を撮りたいと思っていた。ネパールをはじめて訪ねたのは一九九四年の春のこと。ヒマラヤの山々を見に行ったつもりが、人々の大らかさや優しさに魅力を感じた。人々にカメラを向けるおもしろさを知り、カトマンズのカメラ屋でなけなしの金をはたいてカメラを買い、一カ月の滞在の予定が三カ月になり、当時大学三年生だったのだが、将来は写真家になろうとそのまま大学を辞めてしまった。
はじめてのネパール滞在で印象深かったのは、カトマンズで、ギアも何もついていないソバ屋の出前が使うような自転車を二〇〇〇円ほどの値段で買い、自転車でネパール南部へと向かい、二日かけて辿り着いたソウラハという村だった。
ソウラハ村のすぐそばには、野生のトラやサイ、象が棲むジャングルが広がっていて、動物たちを目当てに欧米や日本からの観光客で賑わっていた。宿の従業員たちはしきりに野生動物を見に行くように勧めてきたが、ジャングルに行く気持ちは起こらなかった。それよりも宿を一歩出れば、サンダルや裸足でそこらじゅうを駆けまわっている子どもたちに魅力を感じたのだった。
一週間ほど村に滞在する中で、一軒の雑貨屋の女性と仲良くなった。彼女の名前はルパオ。毎日、そこにコーラを飲みに行った。当時、ほとんどネパール語を話せず、彼女も英語が話せないので、何にも話すことはないのだが、いつもニコニコして私を迎えてくれた。彼女の夫のラジュは、観光客をジャングルに案内するフリーのジャングルガイドをしているのだが、宿の従業員や他のガイドたちと違って、ジャングルに行こうとしつこく誘ってくることもなかった。ラジュとルパオは山間部の村からここソウラハに移り住んでいた。二人の間には長女のイサリ、長男のクリシュナ、二女のカルパナの三人の子どもがいた。

ジャングルには興味がなくて村人の生活に関心があるのなら、ソウラハに来ることがあれば、家に泊まってもいいとラジュが言ってくれた。私はその言葉を胸に刻み込んだ。

ラジュとの出会いから二年が経ち、カメラマンを名乗っていた私は、どこかの土地にじっくりと腰を据えて写真を撮りたいと思っていた。頭の中に思い浮かべていたのは、ソウラハ村の子どもたちのことであり、ラジュの言葉だった。果たして、ラジュは家に滞在してもいいと言ったことを覚えてくれているだろうか。長期滞在させてほしい旨をしたためた手紙を出したところ、しばらくして、藁半紙のような封筒でラジュからの手紙が届いた。封筒を開けると、薄い紙には青いインクで、いつ来てもらってもかまわない、何カ月泊まっても大丈夫だと書かれていた。私はうれしくなって何度もその手紙を読み返した。そして、白骨温泉の住み込みで貯めた金を握って、ネパールへと向かった。

水浴びのあと

カルパナの家の近所暮らすモニカ

コマで遊ぶ村の男の子。ちなみにコマはインド起源という説もある

インド人のお菓子売りがやって来ると、子どもたちが集まる

村の道路は舗装されておらず、ひと雨降るとこの通り

10キロほど離れた町へ、父親のラジュ、兄のクリシュナ、友達のモニカ、リラと

さすがに６歳のモニカは歩き疲れた

モニカを姉のリラが背負って歩く

町では見るもの見るものが新鮮

買い物を終えて映画館へ。インド映画が人気

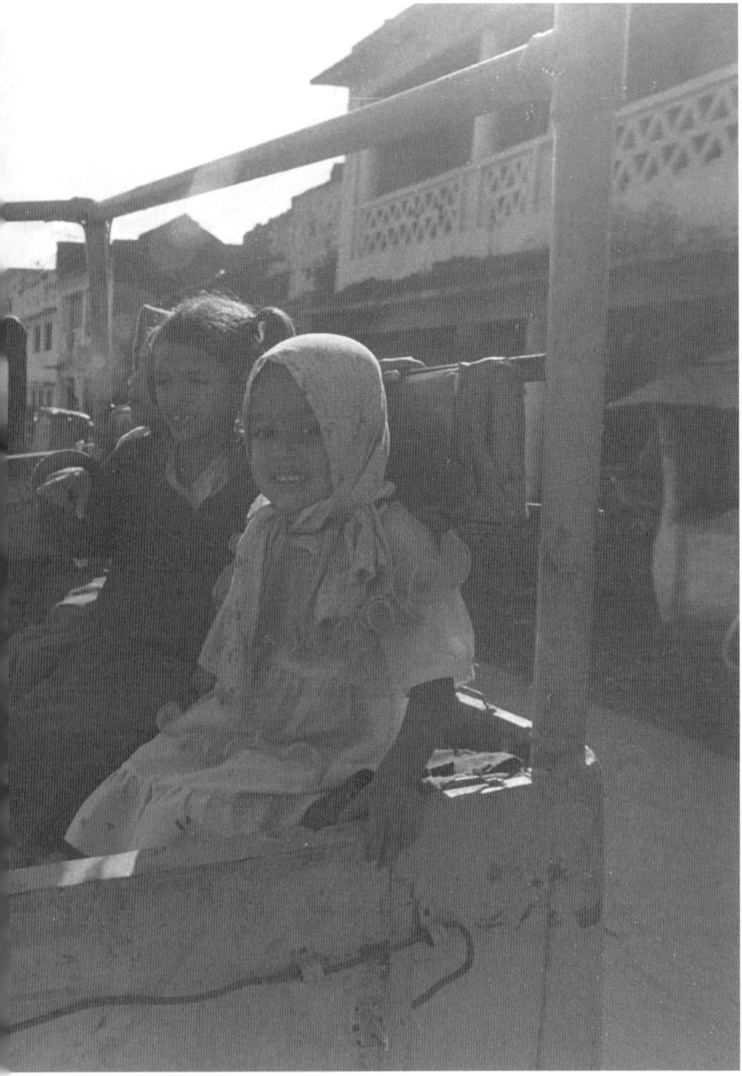

帰りはジープに乗って

朝のひと時、牛車が藁を運んでいた

イサリと川で撮影会

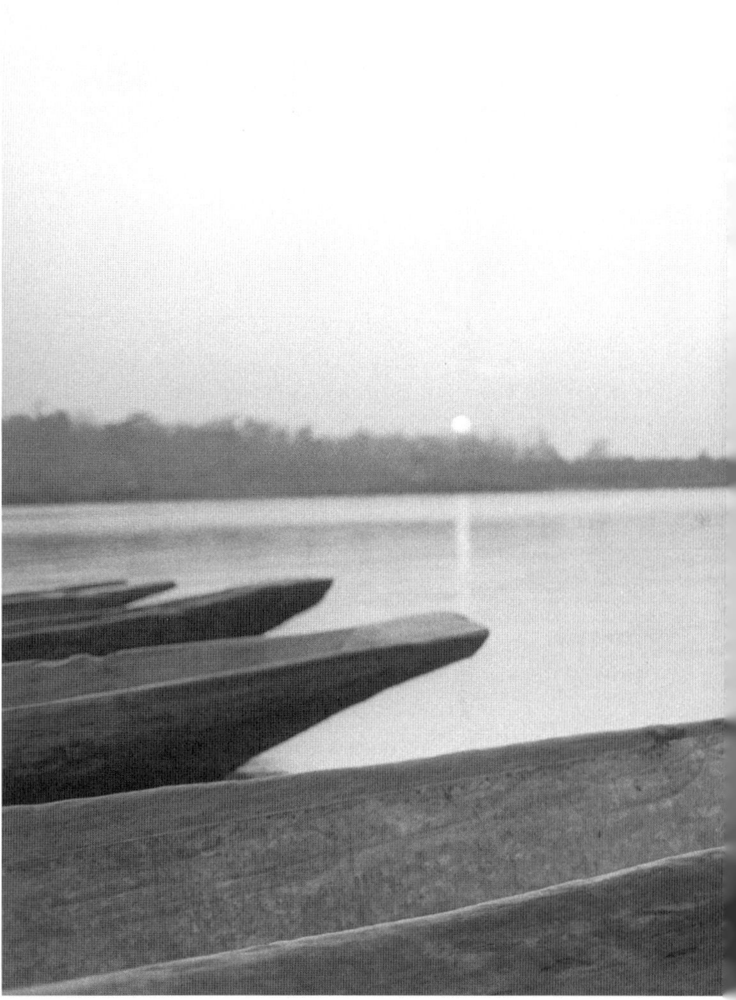

大人用の自転車に乗るクリシュナ

目当ての菓子が買えず不満顔

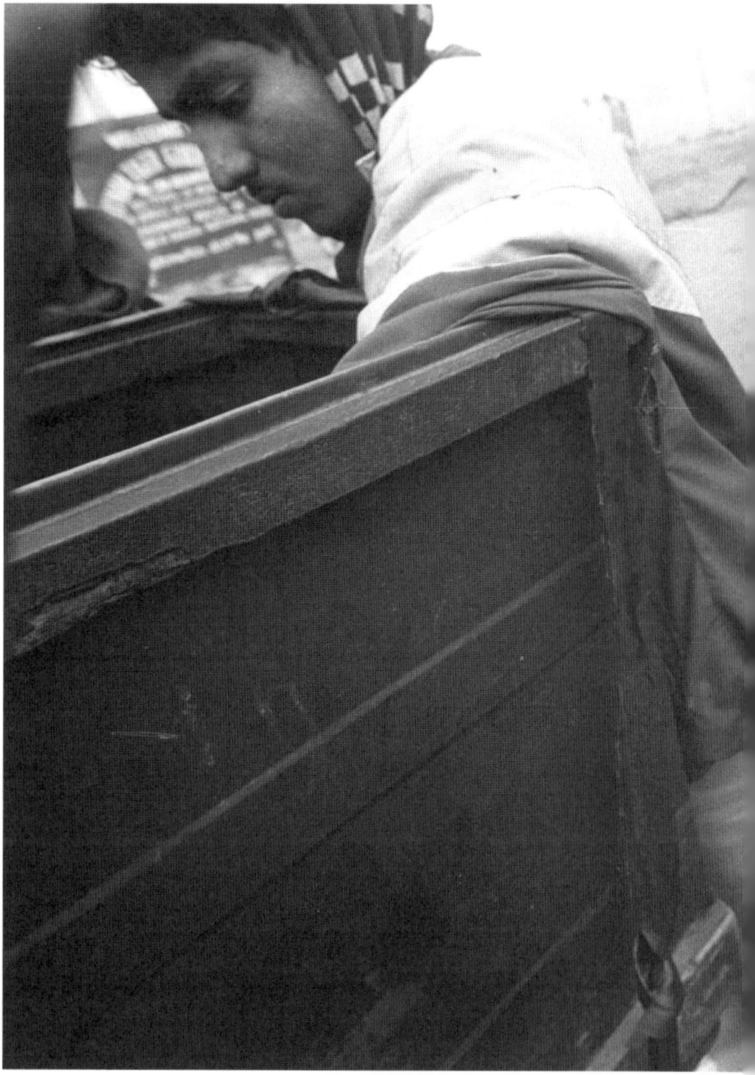

髪をとかすカルパナ。いつも笑っている

近くの川で洗濯

洗濯を終えた服は銀盆に入れて帰ってくる

隣に住んでいる悪ガキのビザイ

ヤギを放すイサリ

電気がつい最近通り、使われなくなったランタン

毛じらみを母親のルパオに取ってもらうカルパナ

ポーズを取るクリシュナ

野生のサイもやってくる川で泳ぐクリシュナ

モニカと友達の女の子

道端で体を洗ってもらうモニカ

ビー玉で遊ぶ子どもたち

PROFESSIONAL GUIDE
SERVICE
CHITWAN TIGER GUIDE

村には被差別民のダマイと呼ばれる一家も暮らしていた。ダマイの少女

菜の花畑で踊るあるアルジュン

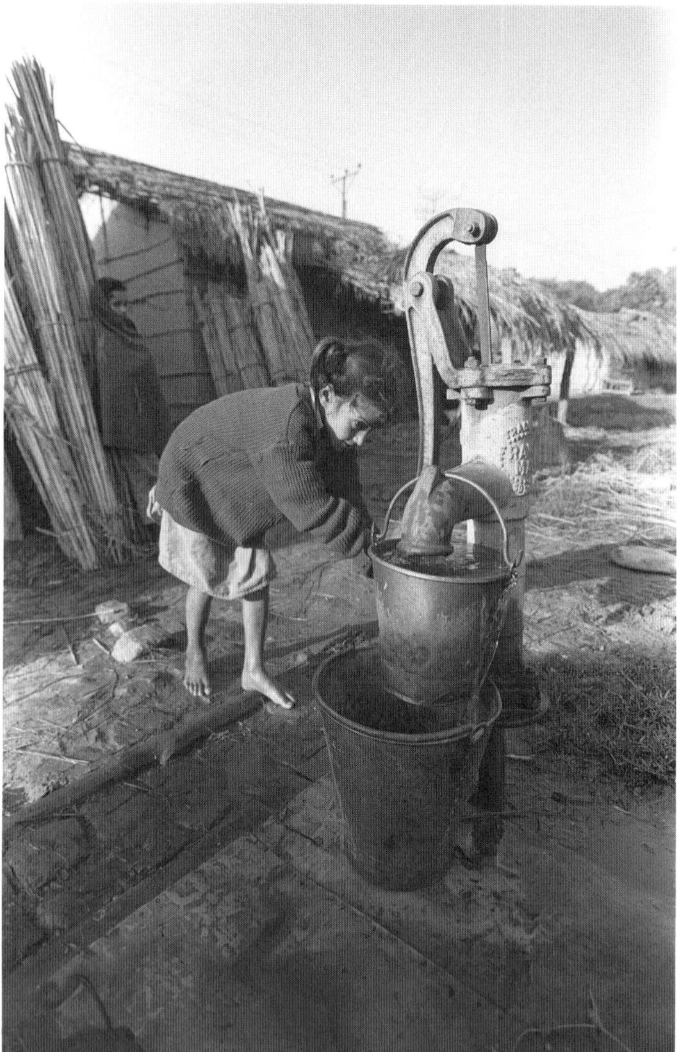

家の裏にある井戸で水を汲むカルパナ

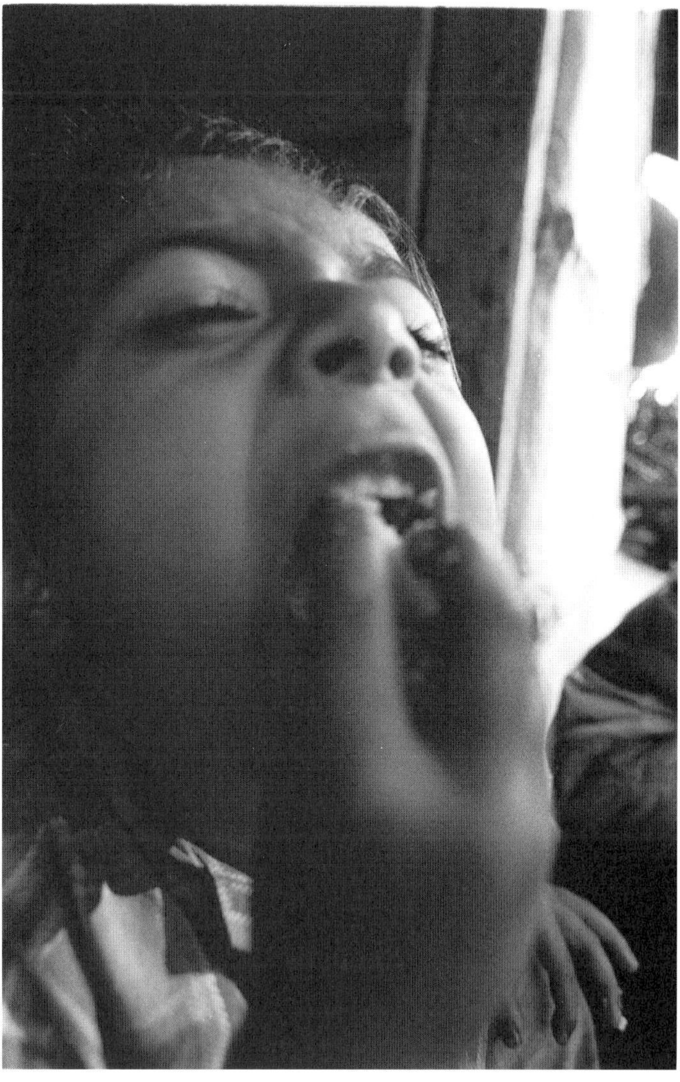

ダルバートを頬張るビザイ

自転車の古タイヤも遊びに使う

祭りの日、少しばかりおしゃれをしてうれしそうなカルパナ

ジャングルから薪運びを終えて、お茶目な表情

村の若者とカルパナの父親（右端）

カルパナが使っていたネパール語の教科書

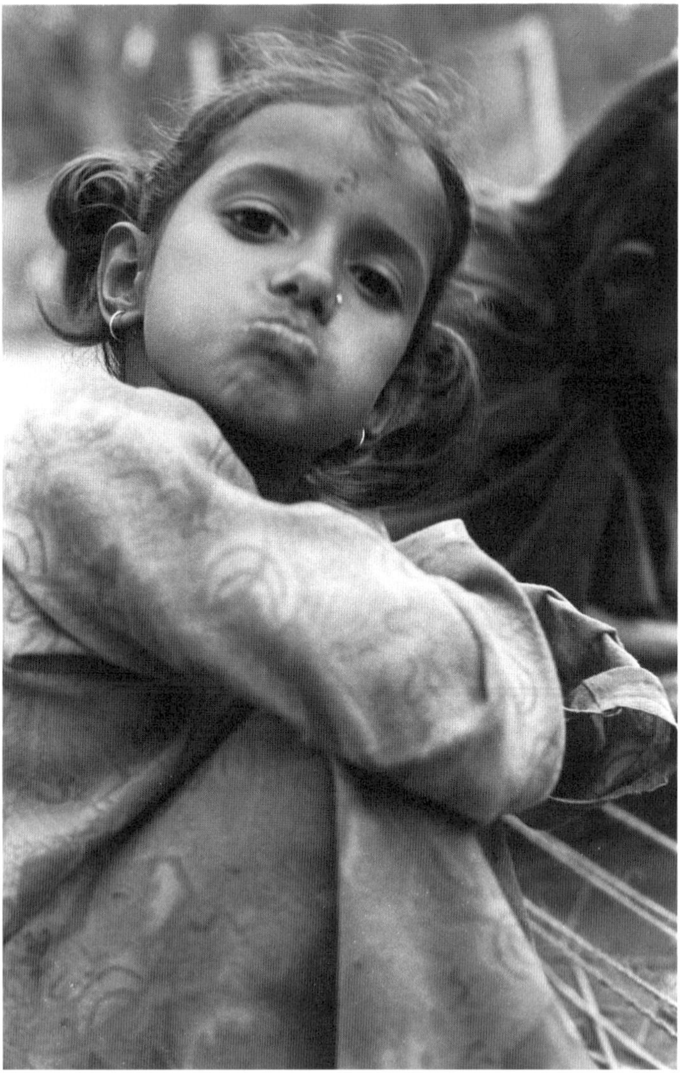

イサリが藁の敷物を織る横で不機嫌なカルパナ

現地の風習で鼻にピアスを通すカルパナ。現地の女性は 10 歳前後にピアスをつけはじめる

洗濯をするイサリとカルパナ

大根畑を耕すイサリ

父親とのひと時

珍しく教科書を読むカルパナ

GUIDE OFFICE
VILLAGE VISIT
TOUR

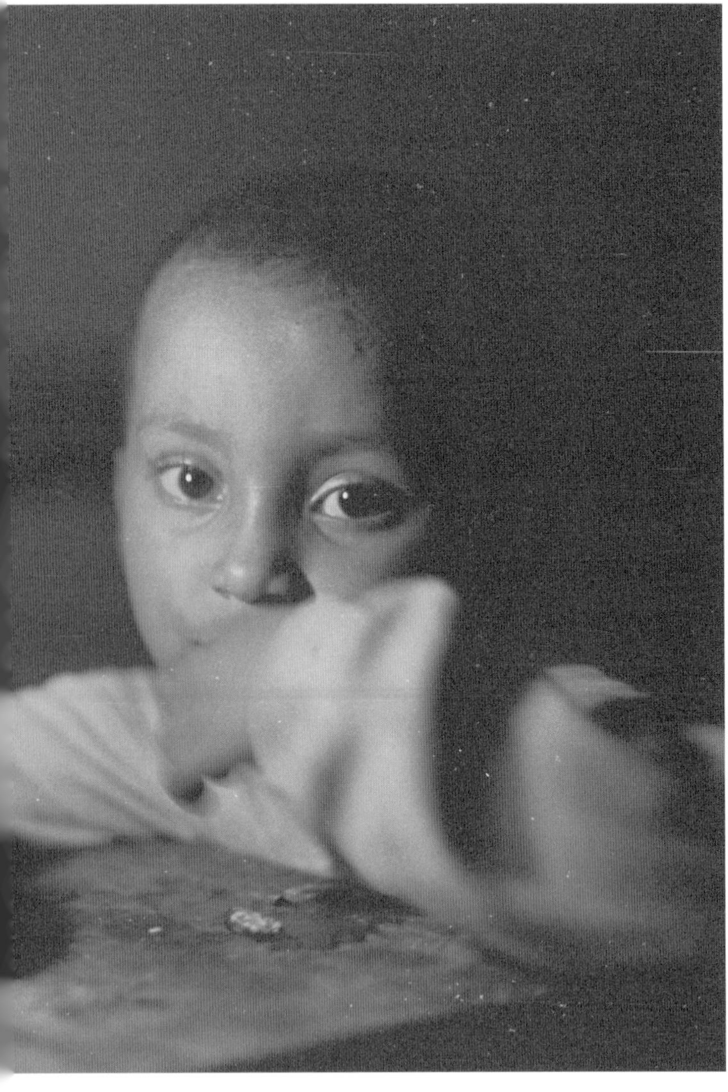

この家には電気が通っていないので、灯油ランプを使っていた

祭りの日、ヤギの首を落とす

ヤギはカレーにされてしまったが、使われなかった頭で遊ぶクリシュナ

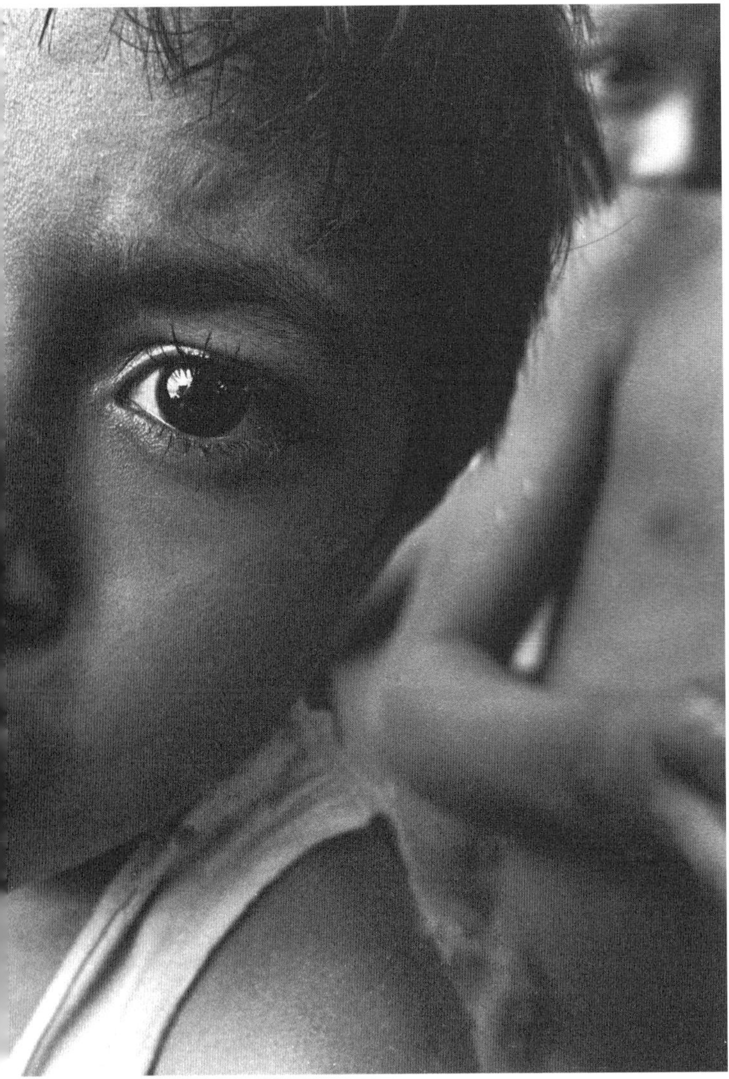

放していたヤギと家へと帰る子どもたち

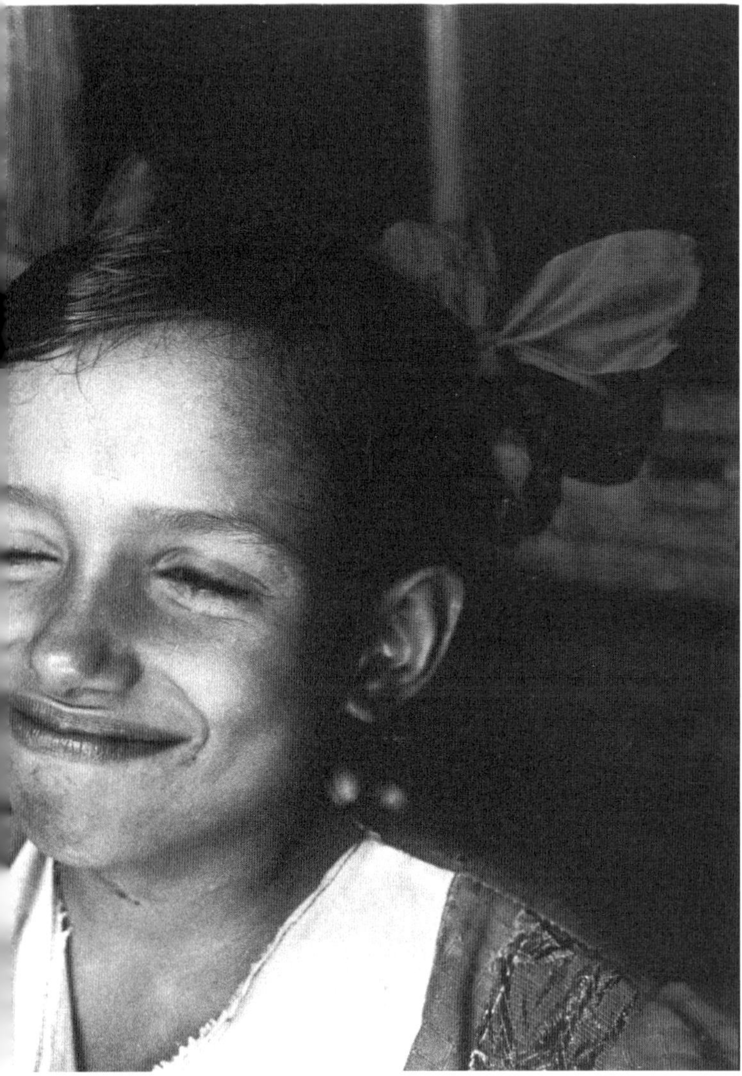

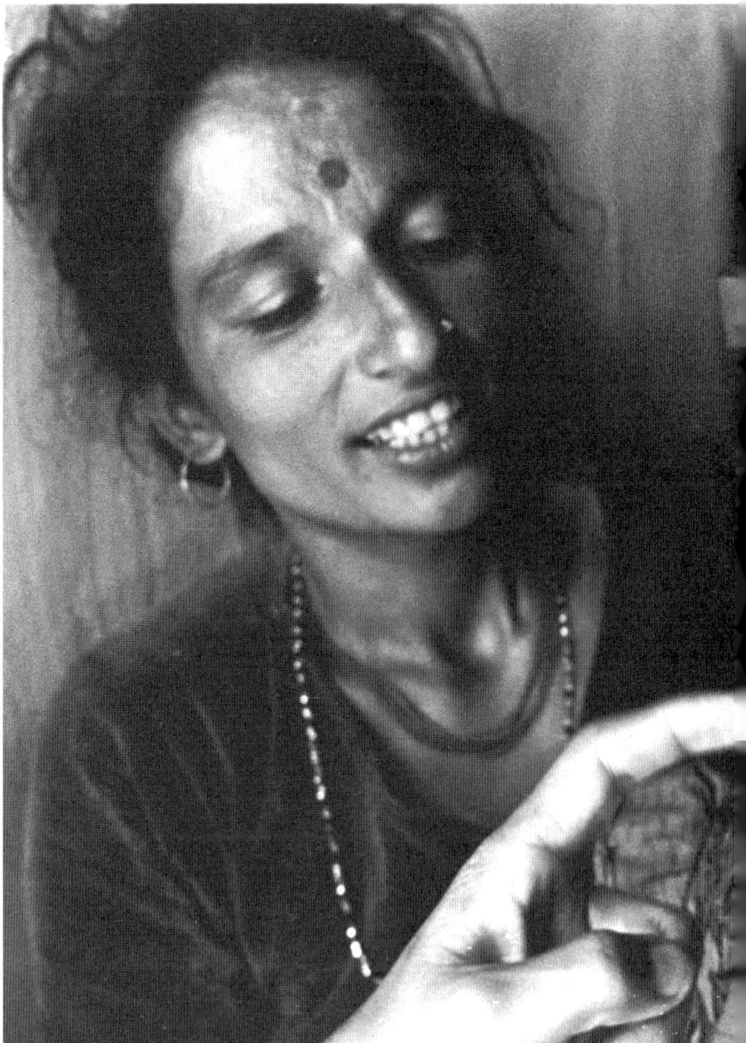

日本の仮面はインド・チベットを経由して奈良時代に伝わった
とされる。日本の仮面と似た雰囲気がある

水牛に乗って水遊び

昼寝をするモニカ

カルパナが暮らす家の裏手では水牛を飼っている

父親と勉強するカルパナ

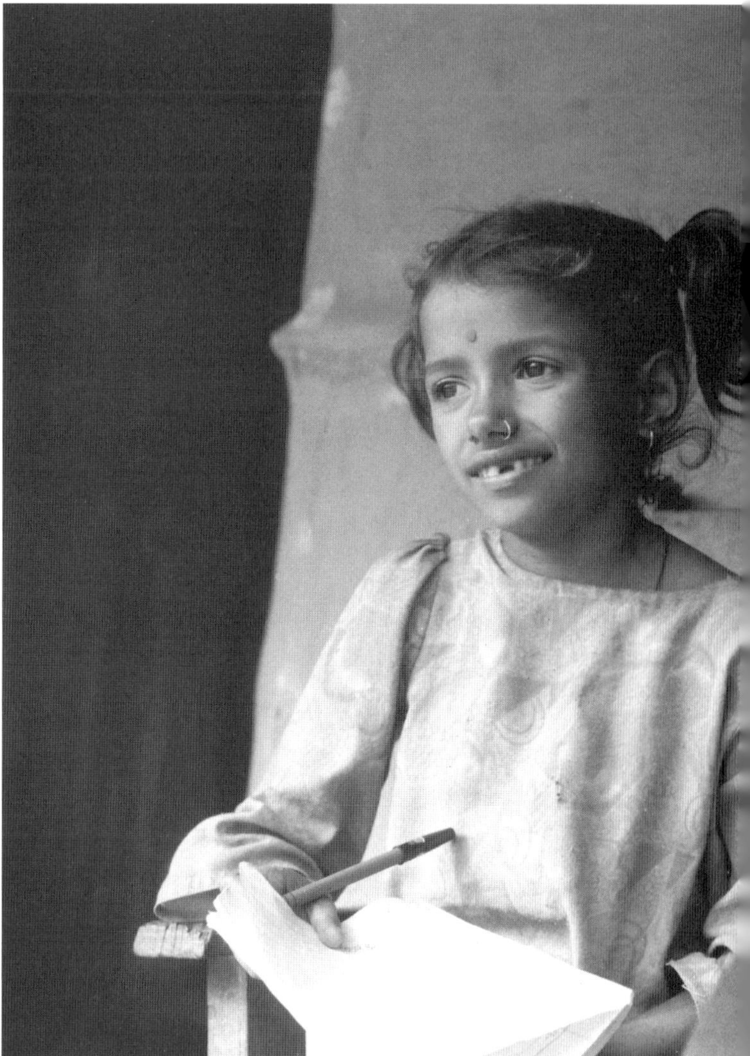

米から小石を取り除くカルパナ

買ってもらったお菓子を取り合うカルパナとイサリ

川へ洗濯に向かうカルパナとルパオ

カルパナ一家と隣に暮らすビザイ

村の夕暮れ時

児童労働

ゴンプーと名乗った少年と出会ったのは、カトマンズのゲストハウスだった。フロントの出入り口に小さな木のいすに七歳か八歳ぐらいにしか見えない一人の少年が座っていた。宿の主人に彼のことを聞いてみると、「スタッフだ」と言った。幼い少年と従業員を意味するスタッフという言葉がまったく釣り合わなかった。それが児童労働だということを初めて知った。年齢は一三歳だという。

宿の主人は、彼がこのゲストハウスで働くことになった経緯を説明してくれた。

「朝、散歩に出かけたら、路上に一人子どもが倒れていたんだ。どうしたと聞くと、『腹が減って動けない』というから、連れてきたんだ」

ゴンプーは僕らが会話をしている横で表情を変えず座っていた。彼は、買い物にいったり、宿の出入り口の掃除など雑用をこなしていたが、大概フロントの入り口の木のイスに座って、フロントのテレビを見ていた。カトマンズは冬の時期寒暖の差が激しく、昼間はシャツ一枚でも大丈夫なのだが、朝夕はコートがないと寒さがしのげない。ゴンプーは、ビーチサンダルに長ズボン、長袖のシャツの上に毛糸の布を羽織って、「寒い、寒い」といいながら陽の当たらないフロントの入り口に座っていた。ゴンプーと出会ってから数日後、カメラを向けた。

「写真を撮ってもいいか?」

と聞くと、ゴンプーは微笑んだ。

ゴンプーは日本でいえば小学六年生、当時の自分を振り返ってみると、毎日野球ばかりしていた記憶がある。一人で働きにでるなど思いもしない幸せな毎日だった。目の前にいるゴンプーは何らかの理由で家族と離れ一人カトマンズで働いている。日本からは考えられない世界だがネパールの現実なのだと、思い知らされた。

ゴンプーと出会ってから数日後、突然彼は姿を消した。その日、ゲストハウスのフロントにゴンプーの姿が見当たらないので、宿の主人にゴンプーの所在を尋ねると、朝買出しに行ったまま戻ってこないんだと言った。困りましたねと僕が言うと、「よくあることさ、金を持って逃げたんだろうと」平然と言った。

結局、ゴンプーはゲストハウスには戻って来なかった。その後またどこからやって来たのか、ハリという名の少年が一人働き始めた。その少年も働き出して一カ月後にゲストハウスの金を盗んで、逃げだしてしまった。

ゴンプーの次にカメラを向けたのは、ウマという一四歳の少女だった。

彼女は路上で瓜を売っていた。何度かカメラを向けると、打ち解けくれて、家に招いてくれたのだった。

彼女は、レンガ造りの木造家屋に兄と祖母の三人で暮らしていた。建てられてから相当の年数が経っているのだろう、床が歩くたびにギーギーと悲鳴をあげた。

両親はどこにいるのか尋ねてみると、「忘れたわ」と素っ気なく答えた。ウマはあまり両親のことは話したくないようだった。ウマに代わって祖母が言った。

「父親は死んでしまい、母親と住んでいたんだけど、母親もウマのことを面倒を見きれなくなってね、カトマンズの私のところにあずけたんだよ。私も年だから、仕事ができないんで、生活費はウマが仕事をして稼いでくれているんだよ」

ラトナパークというカトマンズの中心地がいつもウマが品物を売る場所だった。ウマのところを訪ねてしばらく経った日、カメラを向けていると、ウマが言った。

「あなた、私の写真撮って、日本に帰って売るんでしょう」

私が否定しても、ウマは納得してくれないのだった。ウマにしてみれば、みやげ物屋などで売られているネパール人をモデルにしたポストカードを見て、同じような商売をして、大金を稼いでいると思っているのだった。そんなわけで、ウマは私のことを金持ち日本人と思っているのだった。そして、しみじみと言うのだった。

「私ね、日本人は嫌いなの」

何でと聞くと、「お金いっぱい持っているでしょう」

日本人が嫌いだというウマだが、カトマンズに来て、一番の思い出は、日本人の旅行者がウマに服を買ってくれたことだという。「本当は日本人が好きなんだろう」とからかうと、「そんなわけないじゃない」と怒るのが可愛かった。

バスターミナルで金を乞う少年

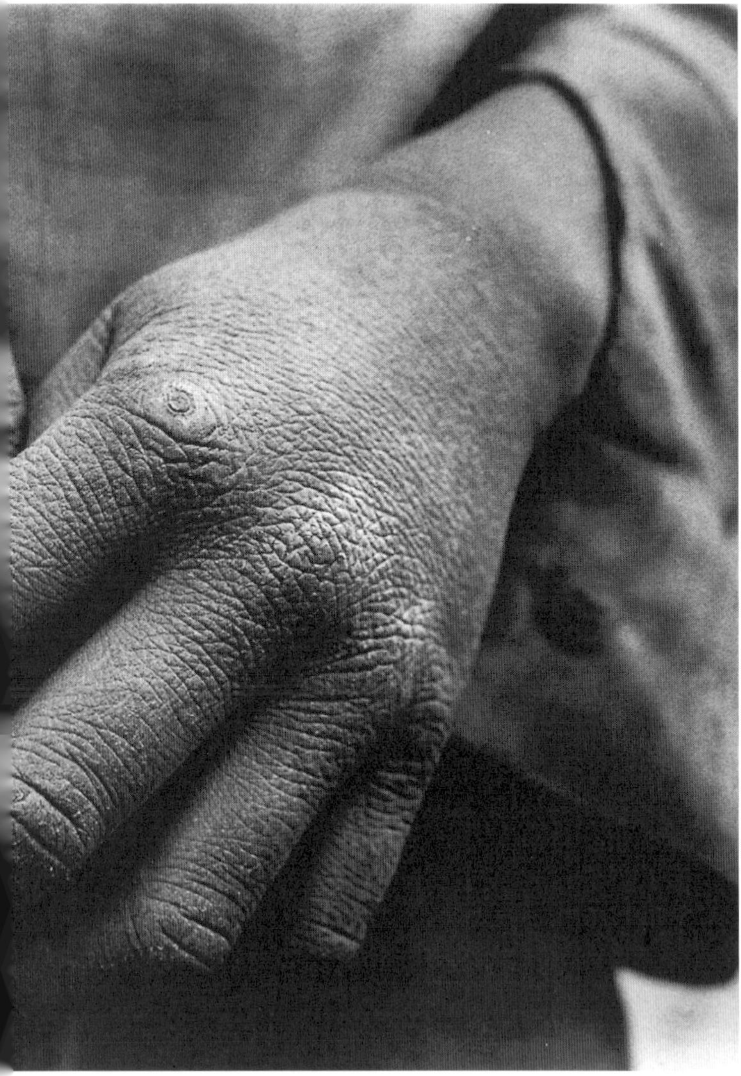

煉瓦工場で働く少年の手はかさかさに干からび、まるで老人の手のようだった

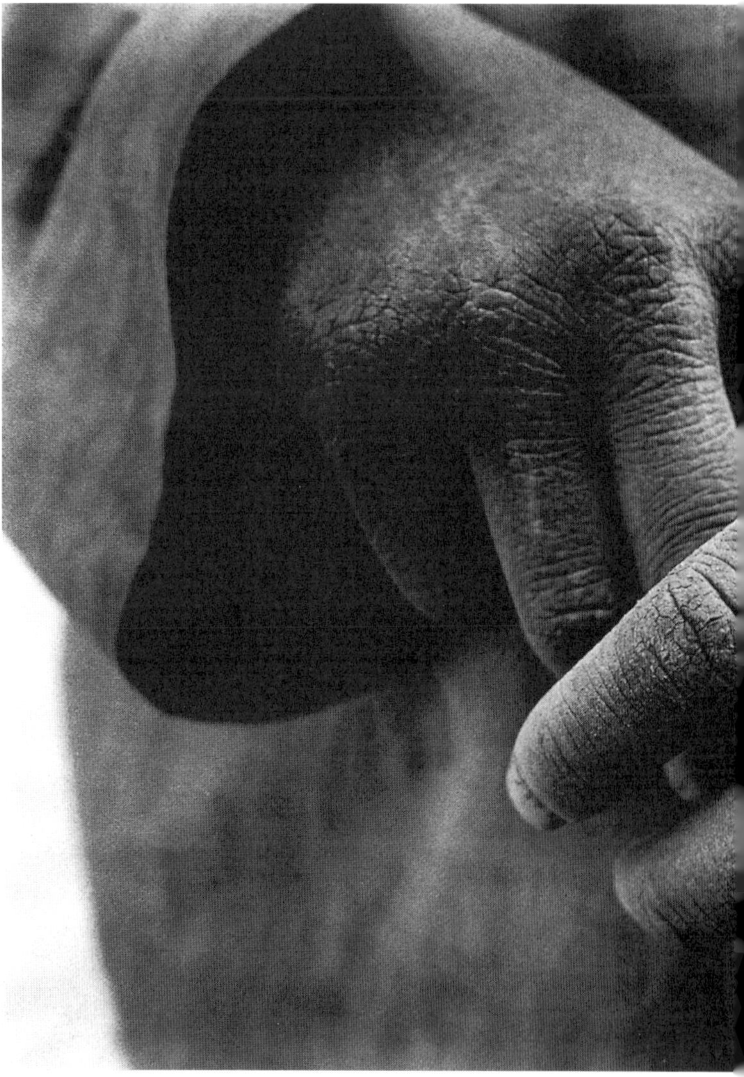

カトマンズ郊外の煉瓦工場で働く少女

煉瓦工場で働いていたのは、地方から来た少年や少女たちだった

カトマンズで新聞を売る少年

カトマンズのレストランで働く少年

厨房での皿洗いや掃除が彼らの仕事だった

カーペット工場で働く少年の足

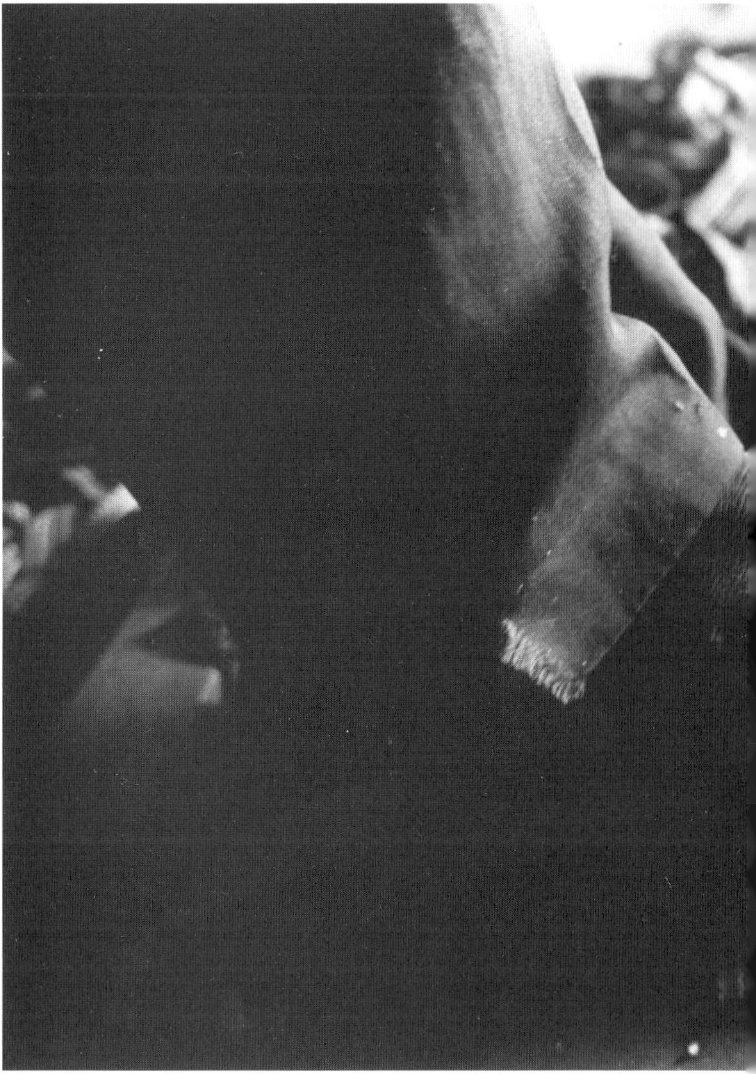

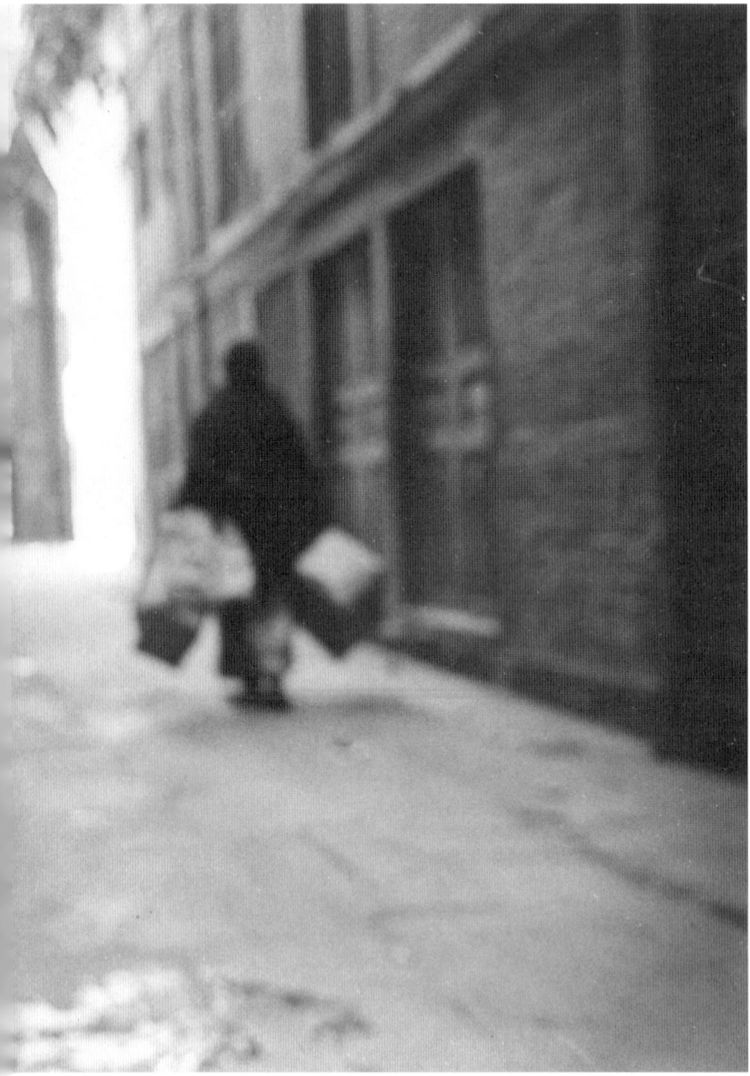

靴を作る工房で働いていた少年

私が泊まっていたゲストハウスで働いていたゴンプー

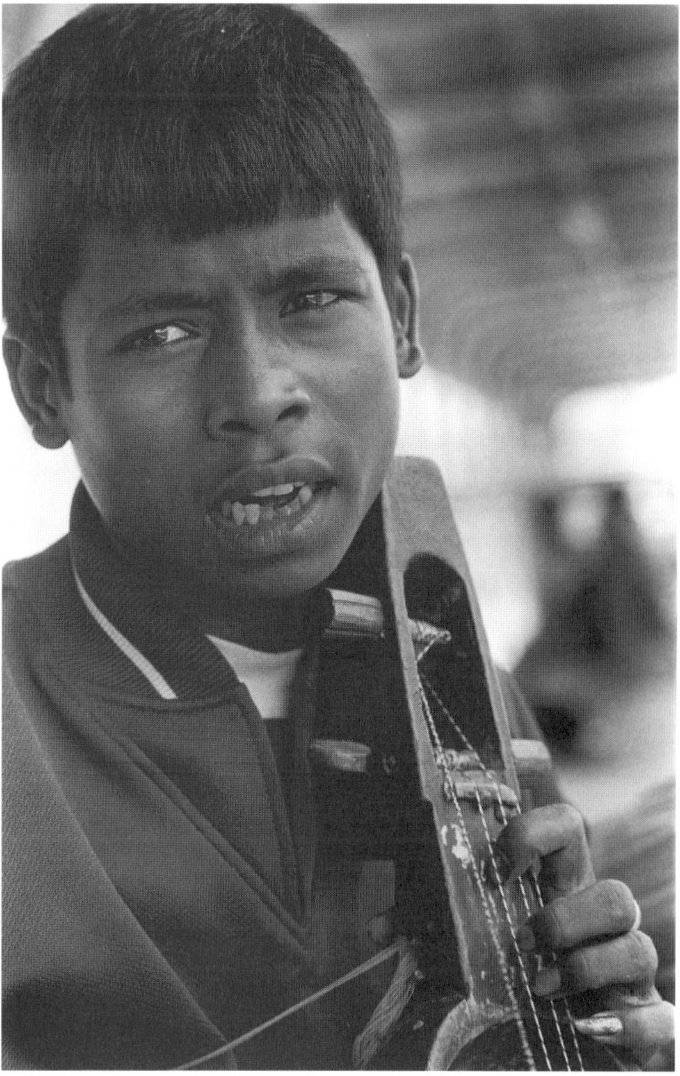

サーランギと呼ばれるネパールの伝統的な楽器を弾き、物乞いをする少年

その日の稼ぎを数える少年。着ている服は援助団体からもらったという

物売りの少女ウマ。カトマンズの中心部が彼女の働き場所だった

ウマが暮らしていた家

生き神とされるクマリ。ネパールの守護神である女神の生まれ変わりとされ、初潮を迎えるまでその役割を務める

山村

ソウラハで私を居候させてくれたラジュは山村の出身で、時々故郷の村の話をしてくれたことがあった。私は山村の生活にも興味が湧いた。

私はラジュの案内で、山村へと向かった。その村は有名な観光地ポカラから三時間ほどバスに揺られ、さらに五時間ほど歩いた場所にあった。ラジュの奥さんルパオの実家のあるダイリン村という村だった。山の斜面に広がる村は、渓谷沿いに広がる無数の棚田が美しかった。これほどの棚田を作るのにどれほどの年月を要したことだろう。

私たちはルパオのお兄さんの家に泊めてもらった。ちょうど稲の収穫の時期で、一家が総出で農作業をしていた。村の目の前には深い谷があり、その反対側の尾根にラジュが生まれ育った村がある。ラジュとルパオはネパールでは一般的な見合い結婚だった。

「父親に結婚するかと言われて、この村までルパオのことを見に来たんだ。部屋の中にいるルパオをこっそりと見たんだよ。その時は何も話さなかったけれど、ひと目見て、結婚することに決めたんだよ。彼女のことを気に入ったからね」

ラジュ一九歳、ルパオ一七歳の時のことだという。日本の常識からすれば、ひとことも話さず結婚を決めたということに驚きを覚えずにはいられないが、これもネパールでは普通のことなのだろう。この村はラジュにとって、思い出の地なのだ。

村の子どもたちは、見慣れない外国人が現れたことに興味深々で、遠巻きに私のことを見続けていた。どこに行くにも一定の距離を保ってついてきた。

村のはずれには小さな学校があった。小さな黒板に木の板でできた長い机と椅子、土壁に地面は土がむき出しの学校に足を踏み入れると、ひんやりと寒かった。一〇人ほどの生徒の姿があった。日本の学校と比べたら、ただの物置小屋にしか見えないだろうが、子どもたちはそんなことを気にするふうではなく授業を受けていた。

山々の間から太陽が顔を出すと、肌寒い教室から出て授業は青空教室になった。谷を抜けて行く風と陽射しが心地よい。生徒のすべてが教科書を持ってきているわけではなく、何人もの生徒で一冊の教科書を見て、朗読をしていた。谷間に子どもたちの元気な声が響いた。

朝から晩まで村人たちの様子を撮影し、日が暮れるとルパオのお兄さんと囲炉裏で暖まった。日中は長袖シャツ一枚でも大丈夫なほど暖かいのだが、山間部の村ははるか遠くの山に日が沈むと、急速に冷え込むのだ。金属製のカメラも冷たくなり、私は急いで家の中に駆け込む。

ルパオのお兄さんは、日本人とこうして膝を突き合わせて話すのははじめてのようで、いろんな質問をしてきた。

「日本は発展していて、ネパールとは大違いなんだろうな。道も舗装されていて、車もたくさん走っているんだろう」

はじめてネパールに来た時から何度も聞かれたことだ。この村に電気は通っておらず、ましてや車が走る車道もない。だけど、この囲炉裏にはルパオの兄の家族だけでなく、何人かの村人もいる。日本の都会の生活では、これほど人と人の距離が近く感じられることはほとんどない。ここには日本の生活にはない人のぬくもりが濃密にある。ただ、彼らは日本の生活にあこがれがあり、どこかネパールの生活を卑下しているように思えた。ネパールは発展していない、貧しいと言う。経済指標では世界有数の貧困国だが、私はこの村にいても貧しさを感じない。それは私が単なる通りすがりの旅行者であり、この村の人々の生活感覚が理解できないだけなのだろうか。

彼らが発する貧しいという言葉の意味を理解するには、この土地に何十年と暮らさなければならないのかもしれない。ただ、この村の生活を見て、村人同士のつながり、ともに助け合う精神というものは素晴らしいことだと思った。間違いなく村人同士の繋がりといった点では、日本より豊かな生活を彼らは送っているのではないか。経済的な豊かさを享受することによって、失うものは間違いなく存在すると私は思う。しかし、私のような若者が説明しても何の説得力もない。ただ、経済的な発展によって物質的な豊かさを享受した時、彼ら自身が気がつくに違いない。

村で意識させられたのは、カーストだった。ネパールやインドには、誰もが聞いたことがあるカースト制度が存在する。

私が滞在したのは、ブラーマンと呼ばれる最上位カーストの村だったのだが、村の中には最下層に位置づけられる被差別カーストの一家も暮らしていて、土地を持っておらず、彼らはブラーマンの農地の稲刈りを手伝ったりする見返りに米を支給されていた。普段はほつれた服の修理をして生活の糧を得ていたのだった。現金収入はほとんどなく、いちげんの旅人である私の目にも生活の厳しさは見てとれた。稲刈りが終わった田んぼで、落ち穂を拾っているのも彼らだった。

私が山村を訪ねた頃と時を同じくして、西ネパールを中心に、貧困の打破、カースト制度の廃止などを旗印に武装闘争を始めていた集団がいた。それが、ネパール共産党毛沢東主義派だった。

ネパール中部の山村ダイリン村。かルパナの母が生まれ育った土地

山村の少年。ソウラハの子どもたちに比べておとなしい

儀式のため切り落とされたヤギの頭

雪が降った日の朝、ニワトリのつがいも部屋の中へ

農具と少女

山村の若夫婦

村の学校。無邪気な子どもたちの声があふれていた

子どもたちは、学校を終えると家の手伝いをする

銅製の太鼓を手に儀式を行う老婆

農作業の合間の一服

少年と仔牛

囲炉裏の火にあたる母と子

山村の夕暮れ

タバコを吸う老婆

収穫された稲から小石などを取り除く女性

収穫の終えた田で落ち穂を拾う、田畑を持たない被差別カーストの女性

山村の小屋

マオイスト

マオイストを取材したのは、私が初めてネパールを訪ねてから一〇年ほどが過ぎた頃のことだった。殺人事件すら滅多に起こらないネパールで、武装闘争をしていたマオイストに興味が湧き、西ネパールへ取材に赴いたのだった。もう今から二〇年以上前のことだった。

私がカメラを向けたいと思ったのは、指導部の人間ではなく、前線で銃を取り闘う兵士たちだった。

政治的なバックボーンを持たない私を極左ゲリラ組織は、すんなりと受け入れてくれるはずはなく、取材の申請をしてから、一カ月ほどして西ネパールの田舎町で待たされた。何とか取材の許可が降り、向かったのはシバラタという村だった。そこには三〇名ほどの兵士がいた。その中には四人の女性兵士の姿があった。そのうちの一人が後に戦死するノビナという名の女性兵士だった。

当時、マオイストとネパール政府は停戦中で、どこかのんびりとした空気が兵士たちの間に流れていた。軍事訓練の合間の自由時間には、彼らはバレーボールを楽しんでいた。

「ボコッ、ボコッ」

間の抜けた音を立てながら、空気が抜け不細工な形のバレーボールが宙に舞い、兵士たちは、歓声を上げながらバレーボールを楽しんでいた。そんな姿にビデオを向けていると、ノビナはバレーボールを止めて、興味深げにビデオを覗き込んできた。彼女が写った映像を見せると、大喜びで、何度も巻き戻して、自分が写っている映像を見るたびに、大声をあげて笑った。友達の女性兵士を呼んで、一緒に写っては、映像を見て笑っていた。まるで子どものような彼女の姿を目にして、銃を持つ姿に違和感を覚えずにはいられなかった。

これが、どこにでもいる普通の若者たちを巻き込んでしまう悲惨な戦争の現実ということなのだろうか。

その後、ノビナは、新しい任地へ向かうため、仲間の兵士たちと共に、トウモロコシ畑の中を去って行った。

ノビナとの出会いから三カ月後、ネパールでは非常事態宣言が出され、マオイストと政府軍の間で戦闘が激化していった。政府発表によれば、一度の戦いで数百人の死者がでることが珍しくなかった。

私はあの日出会った若者たちの消息が気になった。私は再び西ネパールを訪ね、その時出会ったマオイストの男性に、以前撮影した兵士たちの写真を見せた。ちょうどノビナが手を使って食事を取る写真をじっと見つめている。それから、私の方を向いて、思いがけないことを言った。

「彼女は戦死しました」

驚き、すぐに聞き返した。「何で知っているんですか？」
「一緒に戦闘に参加したから、覚えていたんです」
彼女は、ジュムラという土地で、胸と右足に被弾して、出血多量で戦死したというのだ。

彼女はどのような人生を歩み、若くして命を落とさなければならなかったのか。その答えを見つけるため、彼女の生まれ故郷を訪ねた。
最寄りの町から三日ほど歩き、急斜面にしがみつくように建つ彼女の家に辿りついた。家には若い夫婦の姿があった。男性がノビナの母方の親族だという。ノビナの写真を見せると、食い入るように見つめてから、
「そうですノビナです。ジュムラで戦死しました」
と言った。やはり死んでしまっていたのか、親族の男性にそう言われてしまうと、彼女の死を受け入れざるを得ない。戦死した時、彼女はまだ一八歳だったという。出会った時、私には二〇歳だと言っていたが、実際はもう少し若かったようだ。
「ノビナの両親は」と尋ねると、
「彼女が生まれてすぐに父親は蒸発し、母親はその後、村に戻ってきたんですが、他の男と再婚し、ノビナはこの家に預けられました。その母親も、ノビナが九歳の時に結核で亡くなりました」

両親の愛情に恵まれない少女時代を過ごした彼女は、一五歳の時に「畑仕事は苦手だから」と言って、マオイストに身を投じたという。
ノビナの遺品は何かありますかと、尋ねると、一冊の教科書と数枚の写真が出てきた。写真に目をやると、それは彼女の結婚式の写真だった。戦死の四カ月前、彼女は結婚していたのだった。夫もマオイストで政治運動を続ける中で出会ったそうだ。
この村で行われた結婚式には二〇〇人ほどが集まり賑やかに行われたという。写真の中のノビナはうっすらと笑顔を浮かべ、見るからに幸せが溢れている。
結婚式の翌日、ノビナは村を出た。親族の男性は彼女が言った言葉を今も覚えている。
「戦争が続いているから、もう会えないかもしれない。生きていたらまた会いましょう。私が死んでしまったら、時々、思い出してくださいね」
これから新婚生活が始まる新婦の口から、兵士という立場とはいえ、あまりに悲しい別れの言葉だった。
彼女が村を出てから四カ月後、戦地へ向かう彼女から親族の男性の元に手紙が届けられた。手紙にはこう書かれていた。
「みなさん元気ですか。私は元気です。ジュムラに向かっています。生きて帰れたら、また会いましょう」
それが彼女の最後の手紙となった。

ネパール共産党毛沢東主義派、通称マオイストの旗

西ネパール・サリーャン郡で出会ったマオイストの兵士たち。
その多くが戦闘で命を落とした

マオイストの集会で出会った青年

早朝に訓練をするマオイストの兵士たち

マオイストは子どもたちを集め頻繁に政治集会を開いていた。
集会で踊るマオイストの兵士

見事な踊りを見せていたこの兵士は後の戦闘で死亡した

兵士の中に若い女性も少なくなかった

訓練の合間に眠る兵士

朝、水場で顔を洗う兵士

ダルバートを食べる女性兵士ノビナ。彼女も後の戦闘で死亡した

マオイストの発表で10万人が集まったという集会で踊る少女

訓練をするマオイストの兵士

10万人集会で踊っていた少女は数年後に再会すると銃を担いでいた

政府軍のヘリコプターが飛び交う中、銃を担ぎながら食事の準備をする

新たな戦場へと向かう兵士たち

カトマンズでの反政府デモ。鎮圧されるデモ参加者

SONY
POLICE

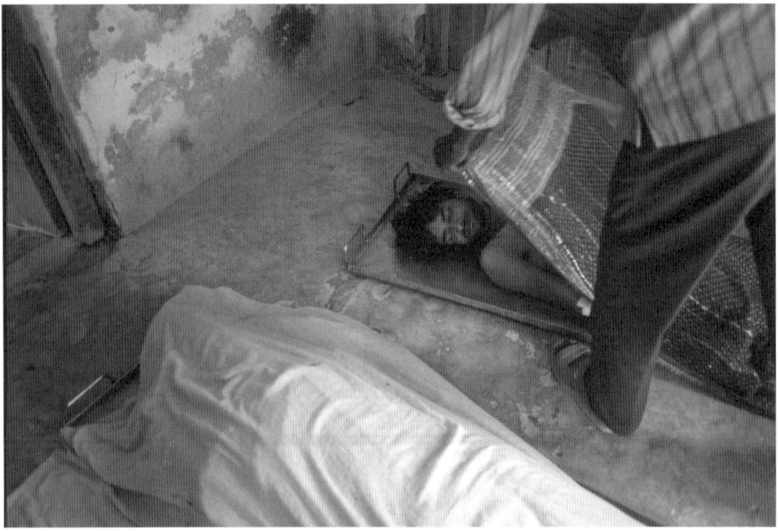

マオイストによるテロにより死亡した市民

テロ犠牲者の遺族

マオイストを取材中、西ネパールの山村で葬儀の列とすれ違った

西ネパールの山村。マオイストが拠点としていたのは、ネパールの最貧困地域だった

西ネパールの少女

西ネパールの山村には車道はなく、病人を運ぶのは人の力しかない。映画で見た遠い昔の日本の風景が今もネパールにはあった

マオイストを支持せず村を追われた親子が難民キャンプで暮らしていた

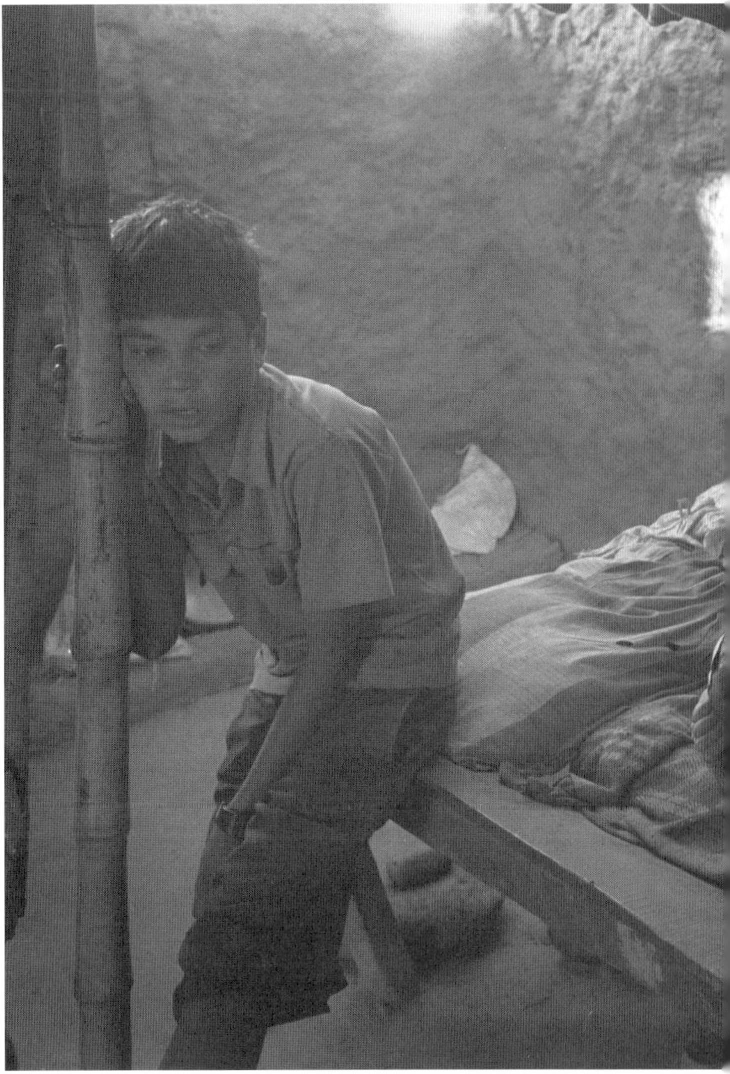

テロにより手首から先を失った少年

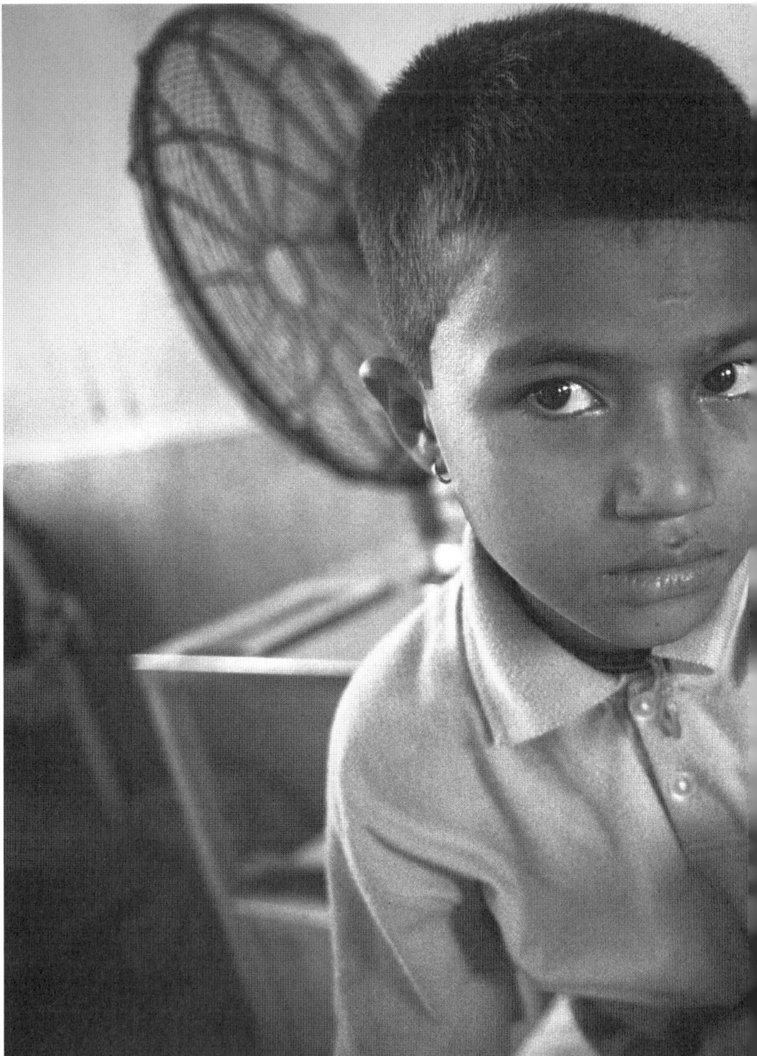

マオイストの迫害により地方からカトマンズのスラムに逃れてきた王室支持者の家族

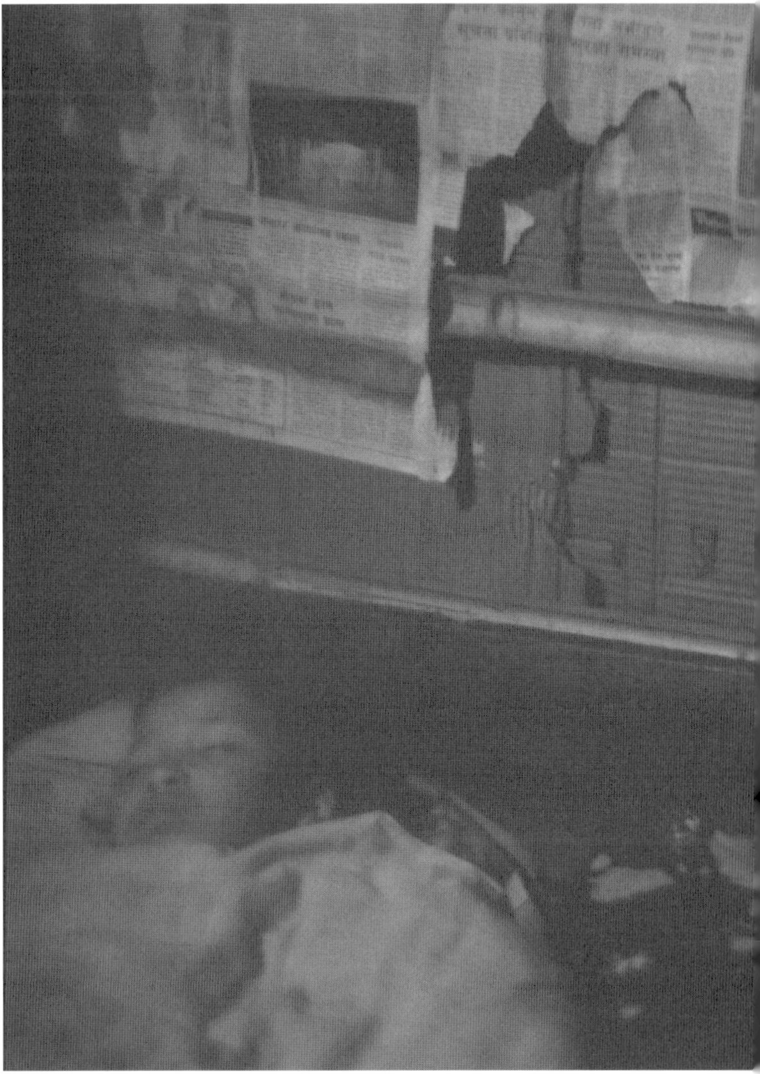

戦争により両親を失った子ども。カトマンズの孤児院にて

西ネパールでは昔ながらの因習が根強く残っていた。売春カーストの女性たち

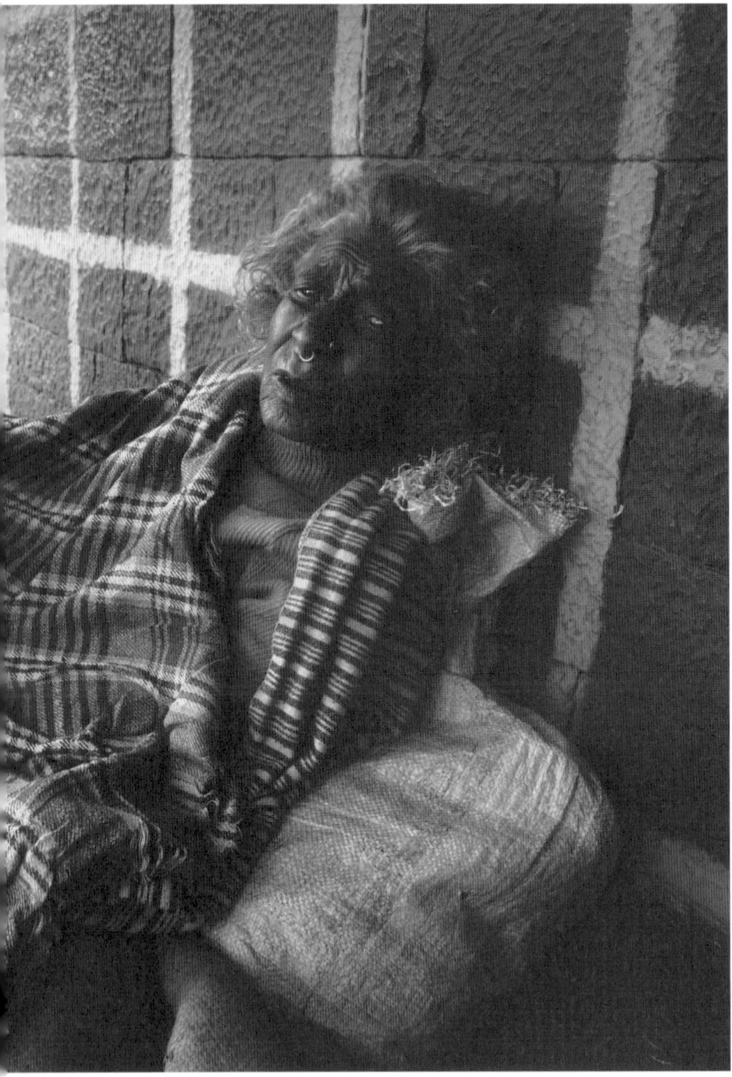

デウキと呼ばれ、寺院に捧げられ売春を強いられてきた老婆。西ネパールにて

夫がマオイストになってしまい離婚した女性。バーで働いていた

カトマンズのスラムで暮らしていた、マオイストから逃れてきた少女

戦闘で死亡した女性兵士ノビナの実家。米は取れず、主食はトウモロコシ

再訪

バンコクを飛び立って三時間、飛行機が着陸態勢に入ると、カトマンズ盆地が視界に飛び込んできた。以前は、緑鮮やかな田畑が目についたものだが、訪れるたびに田畑の占める割合は小さくなり、今ではレンガで建てられた家が盆地の大部分を占めている。
飛行機のタラップを下りると、バンコクとは打ってかわり、爽やかな風が心地よかった。そして微かに草木の匂いが漂ってくる。この空気だけは、昔とは変わらない。心なしかほっとする。
私がネパールを訪れたのは、過去に撮影した子どもたち会うためだった。
かつてのカトマンズでは街のレストランや路上で働く子どもたちの姿を多く見かけた。すでに子どもたちは二〇歳前後になっているはずだ。
カメラを片手にまずは旧市街の中を歩いた。旧市街の細い路地も人やバイクで溢れていて、クラクションの音がけたたましく鳴っている。のんびり歩こうものなら、後ろから猛スピードでやって来るバイクが、どけとけとばかりにクラクションを鳴らしてくる。これではのんびりと歩くこともできやしない。至る場所でここ数年のネパールの変化を思い知らされた。
当時の記憶を頼りに、子どもたちの写真を撮った場所を目指して歩く、街の商店を覗くと、ほとんどの商品がインド製から中国製品に変わっていた。そして僕自身も中国人に間違われることが多くなった。以前は中国の製品も中国人の旅行者もほとんどいなかったのだが、ここ数年の経済成長により、中国人の旅行者が増え、商店にも中国の製品が溢れている。旅行会社の看板にも中国語が目につくようになり、何より中華料理屋も増えた。ここカトマンズでも日本人の存在感はどんどん薄まっているのを実感する。以前は、日本人かと言われるのが鬱陶しいと感じることが多々あったが、ここまで中国人かと言われると、それはそれで寂しく感じる。

街の中を歩いていると、商店の数やレストランの数はさして変わっていないように思えるのだが、以前に比べて、働いている子どもの数は格段に減っていた。以前は街の中を歩けば、そこらじゅうに働く子どもたちがいたものだが、今では見つけることの方が難しい。

旧市街の一角にあるモモと呼ばれるネパール風のギョーザを出す食堂で、たまたま小さな子どもが働いているのを見かけた。すぐに話しかけてみたら、学校が休みで、お兄さんの店を手伝っているとのことだった。この日僕が見かけたのは、その少年の姿だけだった。

旧市街にインドラチョークと呼ばれる小さな広場があり、夕暮れ時には買い物客や寺院の参拝者でごった返し、カトマンズの旧市街で一番のにぎわいを見せるのがこの辺りだ。そのインドラチョークに朝から晩まで参拝者が絶えない小さな寺院がある。当時、その寺院の参拝者に花を売っている少女がいた。寂しげな表情が印象的で、僕はカメラを向けた。
あれから一三年、僕はその少女に会えないかと思い、当時撮影した写真を手にしながら、少女の姿を探した。モノクロフィルムで撮影したその写真の中の少女は花を手にして、花輪を作っていた。
あの日、少女がいた場所に足を運ぶと、少し離れた場所に、面影を残した若い女性の姿があった。以前に比べ、少々ぽっちゃりしたが、彼女に間違いなかった。あの日と変わらず花輪を作り売り続けている彼女に近づき話しかけてみた。
「昔、写真を撮らせてもらった日本人だけど覚えている?」
彼女は、とくに表情を変えることもなく頷いた。良く覚えていてくれたなと思ったら、
「私がまだ小さい時に、あなたが写真をプレゼントしてくれて、それが家にあるから、覚えていたんです」
と彼女は言った。渡した本人は忘れてしまっていたのだが、受け取った彼女は覚えていてくれたのだった。
それにしても彼女は一〇年以上、同じ場所でほぼ毎日、花を売り続けていた。当時と比べると、クルタと呼ばれる美しい民族衣装を着た彼女の姿から、時の流れを感じずにはいられなかった。
私と彼女のやり取りを、一人の男が見ていた。彼女に誰かと尋ねると、兄だという。

兄だと言う男性はいきなり現れた私を訝しげに見ていたが、日本人だとわかると、饒舌に話だした。
「妹を日本に送らないといけないよ。日本に行けば、いい仕事があるんじゃないですか」
彼女は横で黙って聞いている。
「そんな簡単に行けるもんじゃないんですよ」
そう言うと、兄はまだ食い下がった。
「どうしたら行けるんでしょうか？」
「日本人と結婚するのが一番良いんじゃないでしょうか」
すると兄は、妙に納得した表情で言った。
「そんなら誰か良い人がいたら紹介してくださいよ」
彼女の意志などおかまいなしで、兄は真剣な表情で言った。ここで花を売りながら、静かに暮らすのも悪いことではないのでは？　そんな言葉が喉元まで出掛かるが、私はぐっとこらえた。やはりネパールの人々にとって、日本は大きな現金収入を得られる夢の国なのだ。彼女は何も言わずに聞いているが、もしかしたら、心の中では日々花を売る生活に嫌気がさして、日本で働きたいと言う気持ちがある可能性だってある。
夕暮れ時のカトマンズ、せわしなく行き交う人々を彼女の後ろに腰掛け眺めた。彼女は淡々と花を売り続けている。この作業を一〇年以上続けてきたのだ。そう思うと、彼女の行いが尊いものに思えてきた。

客が途切れた時を見計らって、彼女に尋ねた。

「お兄さんは、日本人と結婚しろとか言ってるけど、あなたはどう思うの？」

彼女は私と出会ってからはじめて感情を露わにして、恥ずかしげな表情を浮かべて言った。

「そんなことはわからないわ」

カトマンズの中心部にラトナパークという公園がある。ラトナパークの歩道で、当時物売りをしていたウマという名の少女がいた。数年前にも彼女の消息を追ったことがあったが、彼女が暮らしていたアパートは壊されていて、どこに行ったのかわからずじまいだった。改めてウマが物売りをしていたラトナパーク界隈に足を運んだ。露天の数は当時と変わらないが、働いているのはほとんどが大人たちだった。この公園の片隅で、僕が自転車に乗ってきたら、ウマが仕事をそっちのけで、他の子どもたちと一緒に自転車で夢中に遊び出したのを思い出した。

当時ウマが露天を出していた場所で、ヒヨコを売る露天商の姿があった。そういえば、ウマも日によって商うものが違っていたが、ヒヨコを売っていたこともあった。もしかしたら、ウマのことを知っているかもしれないと思い、当時撮影した写真を手に、話を聞いてみることにした。ヒヨコを売っていた中年女性に写真を見せると、しばし凝視した後、彼女は言った。

「あーっ、思い出したよ。しばらく前に結婚して、今は幸せになっているよ。この頃は、母親にも見捨てられて、おばあさんとこの近くに暮らしていたんだよ。それから金持ちの男性と結婚して、カトマンズで暮らしているよ。たまにお婆さんの姿は見かけるけれど、ウマの姿は見ないね」

母親に見捨てられ、お婆さんと暮らしていたことも当時のウマの状況と同じだ。彼女が言っているのは、撮影したウマに間違いなかった。その言葉を聞いて、僕はほっとした。学校にも行けず、物売りをしていた彼女が金持ちの男性と結婚して幸せな日々を過ごしているという。できれば、今の姿も見たいが、残念ながら彼女の連絡先はわからないという。時おり、お婆さんがこの界隈を歩いているということだから、お婆さんを見かけたら連絡先を聞いてほしいと伝えて、僕はラトナパークを後にした。

今のウマの姿を写したいと言う気持ちもあったが、ウマが現在幸せに暮らしているという情報を聞けただけでも満足だった。彼女にとって、当時の記憶は苦い記憶でしかないのかもしれないのだから。

カトマンズからバスに乗り、チトワンへの玄関口、ナラヤンガットの町にバスが到着すると、物売りの子どもたちが、勢いよくバスの中に飛び込んできた。お菓子や水、果物の売り子など、それぞれが商品名を連呼する。バスの中は一気に華やいだ。その光景は久しく忘れていた光景だった。以前のネパールにタイムスリップしたような感覚に陥った。子どもたちの間をすり抜けて、やっとのことバスを下りた。

以前はリクシャばかりが目につき、街の中に呼び鈴の音が響き渡っていたが、街の中にはバイクや車があふれ、以前は見かけなかったタクシーが客待ちをしていた。

日暮れが迫っていたこともあり、タクシーでソウラハへ向かうことにした。運転手は二〇代の若者だった。年齢を尋ねると二五歳、ちょうどソウラハの子どもたちと同じ年頃だ。彼によると幹線道路からソウラハへと向かう道も舗装され、立派な橋もでき、ソウラハ村の中まで車で行くことができるという。

デコボコ道で夜中にサイの泣き声が聞こえたことや、ゲストハウスの値段が一〇〇円もしなかったことなどを話すと、彼は呆れた表情で言った。

「いつの話をしてるんですか、今はソウラハも賑やかになって、カトマンズと変わらないですよ」

幹線道路を外れて、ソウラハへと向かう道に入ると、確かにデコボコ道は舗装されていた。以前はなかった巨大なホテルの建設も進み、かつては見かけることがなかった中国人の観光客の集団が一眼レフカメラをぶら下げて歩いていた。数軒のレストランと土産物屋が並んでいるだけだった村の中心部には、何軒もの土産物屋が建ち並び、ATMまで設置されていた。ソウラハの中心部はカトマンズの有名な観光地タメルから取って、タメルと呼ばれているという。ここまで村の様相が変わると、もしかしたらラジュの一家も土地を売ったりして、他の土地へと引っ越してしまっているかもしれないという不安が心にもたげてきた。ラジュは当時から静かな村に引っ越したいということを話していたことがあった。

道路は舗装され、村の景観は変わったが、何とか当時の記憶を頼りに一抹の不安を抱えながらも、ラジュの家は近付いてきた。

家は、藁ぶき屋根からトタンに変わっていたが、以前の場所にあった。ほっとした気持ちでタクシーを下りると、ラジュの奥さんルパオがひょっこり顔を出し、私に気がつくと笑顔で、

「タカアキ、タカアキ」

と連呼した。すぐに部屋の中に戻って、

「お父さん出てきて、昔の友達が来たよ」

と、僕の名前を告げず、ラジュを呼んだ。するとちょっと肥えて、お腹がぽっこりと出たラジュが顔をだした。僕を見ると笑顔を浮かべて近づいてきた。

「何で手紙も電話も、Eメールもあるのに連絡してこなかったの」
ルパオが言った。ラジュは以前と変わらず、特に表情を変えるわけでもなく、静かに僕たちのことを見守っている。僕はただただ返す言葉もなかった。子どもたちの近況を尋ねた。
長女のイサリは結婚して、今はオーストラリアにいて、近所の子どもたちもヨーロッパやオーストラリアに行っている者もいるという。長男のクリシュナと二女のカルパナはまだ一緒に暮らしているという。出稼ぎや留学する者が増え続けているネパールの現実がここソウラハでも如実に現れていた。もしかしたら、村の子どもたちの誰かがマオイストに身を投じ、亡くなった者もいるかもしれないと思ったが、幸いにも誰も兵士にはならなかったという。
しばらくして、家の中からカルパナがひょっこり顔を出した。
「タカアキ兄さん、ナマステ」
大きくなったが、オテンバだった当時の面影が微かに残っていた。当時は僕のことをタカアキ、タカアキと呼び捨てにしていたが、当然だが年を重ね、しっかりとした女性になっていた。ただ大きく澄んだ瞳は変わらない。カルパナは学生だという。
当時のことを懐かしみながら、会話をしていると、どこからともなくバイクのエンジン音が聞こえてきた。振り返ると、運転しているのはクリシュナだった。当時はまだ未舗装だった家の前の道で必死に大人用の自転車を使って、自転車に乗る練習をしていた子どもが、一丁前にバイクを乗り回す歳になった。
「何で来なかったんだ？」
やはりルパオと同じ質問を投げかけてきた。ソウラハのことを忘れていたわけではなく、カメラを向けたいと思ったものがソウラハの外にあって、そこに一途になってしまった。そう答えたわけではなく、「ソーリー」と繰り返すしかなかった。
クリシュナは現在、かつてラジュがしていたジャングルガイドの仕事をしながら、学校にも通っているという。今乗っているバイクは、昨年の誕生日に買ってもらったのだと言う。
「日本に行けないかな？」
海外で働くなら、日本だという思いがあるようだ。当時の彼からはもちろん、聞かれなかった言葉だが、それだけ彼も大人になったということだ。
家の中へと案内されると、そこには当時は村の中ではほとんど見かけなかった冷蔵庫が置かれていた。さらには扇風機やパソコン、寝室にはテレビも置かれていて、電化製品が格段に増えていた。
「昔は何もなくても、何も気になることなく生活したもんだけど、これだけいろんな物を買うようになって、便利さって何なのかって思うよ」

家の中を案内してくれたラジュがため息交じりに呟いた。さらにラジュがしみじみと言った。

「一度、こうした物に囲まれた生活に慣れてしまうと、今後ますますいろんな物を買うようになるよ」

日が暮れたこともあり、私たちは韓国製の液晶テレビの前に集まり、ドラマを見た。ドラマはアメリカでロケが行われていて、ネパール人の夫婦がアメリカに出稼ぎに行くのだが、日々仕事に追われる。夫は夫婦で話す機会がないと嘆く、妻は金を稼ぐことに集中し、

「あんたは失ってもいいけど、仕事は失いたくない」

と言う。ネパール人の現実をコメディータッチで描いたドラマで、ラジュ一家の笑いを誘っていた。出稼ぎネパール人の心情をうまく表していて、良いドラマだと思った。番組の途中では、「緑のドルが人を壊す」という挿入歌が流れた。こうしたドラマが作られるほど、ネパール人の海外への出稼ぎは一般化したのだ。ラジュの一家からも留学と言う形ではあるがイサリがオーストラリアに行き、時おり貴重な現金を送ってくる。

ドラマを見終えると、カルパナが一枚の写真を持ってきた。色あせた写真には、おそらくソウラハを訪れた時の私、ルパオ、イサリ、クリシュナ、カルパナが写っていた。カルパナもクリシュナもまだ小さくて、写真の中では豆粒のようだ。当時の私も今から

比べたら、随分とほっそりしていて、まるで別人である。この当時はまだ学生で、ここネパールを訪れてからカメラマンを志すことになる。当時はそのボケーっとした風貌から、「銀河鉄道999」の鉄郎に似ていると言われたこともあった。鉄郎は不死身の体を求めて、アンドロメダを目指して旅を続けたわけだが、これから数年後の私もカメラマンになるという目標に向けて走りだし、あがいていた。カメラマンを名乗ったものの、何の実績もなく、何者でもなかった、いわば子どもだった青年が、ここソウラハで子どもたちと出会い、写真を撮ることによって、何とか日本社会で生きていく、きっかけにしようともがいていた。かつて日本社会にも青年から大人になるとき入門儀礼というものがあり、成人式もその名残りだと思うが、私は私なりの方法で、ここソウラハの人々にお世話になりながら、社会の入門儀礼を行っていたのだと思う。見てくれだけは大きい、一八年前の子どもに目をやりながら、そんなことを思った。

夜、部屋のベッドに横たわっていると、
「タカアキ兄さん、ナマステ」
と一人の青年が挨拶に来てくれた。当時、一緒にサッカーやバレーボールをした青年だ。今は車のドライバーをしているという。私のことを覚えていてくれる子どもたちがいたことは何ともうれしかった。

翌朝、目が覚めると、久しぶりに裸足でソウラハの土の上を歩いた。森と土の匂いが何とも懐かしかった。

家の前のベンチでミルクティーを飲んでいると、友人のバブラムが自転車で通り掛ったのをクリシュナが気付き、呼びとめた。振り返ったバブラムは、僕に気が付き、笑顔で近づいてきた。

「ビックサプライズ、ビックサプライズ」

そう何度も英語で連呼しながら、近づいてきた。

確か、当時バブラムの子どもが生まれたばかりで、赤ちゃんをオンブする器具をプレゼントしたことがあった。それを今も覚えていてくれて、当時は乳飲み子だった息子をわざわざ家から呼んできてくれた。

「お前はこんなに小さかったんだぞ」

そんなことを何度も何度もしつこく繰り変えずもんだから、息子はうんざりとしていた。バブラムは今もジャングルガイドをしながら生活を続けているという。当時の昔話でひと通り盛り上がると、彼は仕事へと向かっていった。

当時、ラジュ家の近くに、年中酔っぱらっていて、鼻つまみ者だったマイラダイと呼ばれている男性がいたのだが、彼の消息が気になり、どこに暮らしているのかラジュに尋ねると、すぐ近くに暮らしているという。最近ではきっぱりと酒も止めて、真面目に働いているという。

マイラダイの家を訪ねると、彼はジャングルガイドの仕事に出ていて、いなかったが、彼の娘たちがいた。当時、虎狩り頭でタイガーと呼んでいたモニカは一九歳になり、笑顔が美しい娘になっていた。笑顔の中に当時の面影が残っていた。モニカのお姉さんであるリラも落ち着きある女性に成長し、当時私が村の子どもたちを連れて映画を見に行ったことを覚えていて、映画のタイトルまで覚えていた。あれから映画を見に行ってないという。

「今は全部、コンピューターで見れちゃうから、映画館には行かないんですよ。だけどまたみんなで映画を見に行きたいですね」

子どもたちと話していると、ひょっこりとマイラダイが顔を出した。

「タカアキ。ハウアーユー?」

英語で話しかけてきたマイラダイだが、僕がネパール語で話すと、会話はすぐにネパール語になった。酒に酔っていないマイラダイを見るのは、初めてではないだろうか。マイラダイも当時、ネパール語を満足に話していなかった僕がネパール語を話すものだから、驚きの表情を浮かべている。

「三年前から酒を止めて、仕事に専念しているんだよ。水牛用の小屋も建てて、家も増築しているところだよ」
　それこそ、当時は現在建設中の水牛小屋より小さな家に住んでいたが、今ではコンクリート造りの立派な家を建てていた。
「息子をオーストラリアに送って、息子が勉強しながら、一日三時間しか寝ないで働いてくれているんだよ」
　すっきりとした精悍な表情でマイラダイは言った。
「それこそ当時は、酒びたりで、このまま人生なんてどうでもいいやと思っていたんだよ。死んでもいいなんて思って、毎日酒を飲んでいたんだよ。それが今では改心して、酒を止めたんだ」
　マイラダイの口から、まさかそんな言葉を聞けるとは思わなかっただけに、驚きとともにうれしさがこみ上げてきた。

　今回のソウラハ滞在で、会いたいと思っていたが、会えなかった子どもたちもいた。中には酒に溺れて、ほとんど働かずぶらぶらしている者もいるという。中にはインドに働きに出てしまった者もいた。
　ソウラハを出る日の晩、当時と変わらないラジュの家の木のベットに横たわっていると、様々なことが頭の中を巡った。

これまでカメラとペンを持って、ネパールをはじめ様々な国を取材する機会にも恵まれた。多くの国を訪ねたが、一番長く滞在したのはネパールだ。この国の変化も目にし、様々な人にカメラを向けてきた。

カメラの前で笑顔を浮かべてくれたマオイストの若い兵士たち、児童労働の子どもたち、すべてはここソウラハからはじまったのだ。私はこの村に暮らしながら、連日子どもたちにカメラを向け続けた。当時は目の前に道路には子どもたちが溢れ、朝から晩まで子どもたちの笑い声や泣き声が響き渡り、何とも賑やかな村だった。今ではその目の前の道路は舗装され、時おり当時は見かけなかった乗用車が通り過ぎていく、そしてそこには遊ぶ子どもたちの姿はない。最近の子どもたちは外では遊ばす、家の中でテレビを見て過ごしたり、私立の学校に通う子どもたちが多いため、勉強に忙しいのだという。ラジュ一家の隣りに幼い兄弟がいたが、やはり外では遊ばす、私の持っているカメラにもまったく興味を示さず、当時はカメラを見れば、写真を撮ってくれと、子どもたちから言われて大変だったが、何ともあっさりしたものだ。

写真というものは、その場にいなければ撮ることはできない。正しく私がおさめたソウラハの子どもたちは、もうこの土地にはいない。あの時に出会うことができたからこそ、私は写真を撮ることができた。あの当時の私もここにはいない。あの日、あの時、日本から来た大人になれない子どもだった私だからこそ、子どもたちは受け入れてくれて、この村の子どもたちにカメラを向けるのを許してくれたのだと思う。いわば私にとって、もう二度と巡ってくることはない人生の貴重なひと時だったのだ。あの子どもたちとの日々は。人生にはその時に気がつかず、後になって往々にして気がつかされることばかりだ。

翌朝、目を覚ますとかつて子どもたちで賑やかだった通りを一人歩いた。ニワトリの鳴き声、通り過ぎるバイクのエンジン音だけが時おり響いた。やはり子どもたちの笑い声は聞こえてこなかった。ただ、どこからともなく、吹いていきた風が優しく私の頬を撫で、静かに吹き抜けていった。

15年ぶりにあったカルパナはすっかり大人の女性になっていた

村の子どもの髪を結うカルパナ

大人の自転車を必死に漕いでいたクリシュナはバイクをいじっていた

Alba 160
YAMAHA

カルパナ、クリシュナと両親。家はコンクリート造りとなり。
姉のイサリは結婚してオーストラリアで暮らしていた

TELEPHONE SERVICE

大人になったモニカ

右からリラ、モニカ、赤ん坊だった弟

村の道は舗装され、子どもたちで賑やかだった村も静かになっていた

あとがき

ソウラハへの旅を終えて、しばらく経ってパソコンを立ち上げると、一通のメールが届いた。ソウラハで出会うことができず、オーストラリアに留学しているイサリからだった。当時は英語を話せなかった彼女が英語でメールを送ってきた。

元気ですか？　私の家族を訪ねてくれてありがとう。家族はあなたと会えて本当に喜んでいます。私の人生の中で、あなたがネパールに来て、私たちと一緒に過ごした時間は一生忘れることはないでしょう。私は今でもあなたが撮ってくれた子どもの頃の写真を何枚か大事に持っているんですよ。今でも当時のことはいろんなことを思い出します、あなたが当時家の前にあったとても小さな店で、一本のバナナを二ルピーで売りましたね。それはこの界隈で一番安い値段でした。
最近、弟があなたの写真をメールで送ってくれた時には、本当にびっくりしました。あなたは当時と変わっていませんね。主人と写した写真を送ります。日々、勉強にも忙しくて、返事も遅れてごめんなさい。

また会える日を楽しみにしています。

オーストラリアからイサリ

すべて英語で書かれていた手紙は、彼女の成長をうかがわせ、時の流れを感じさせた。そのあと送られてきたメールには、イサリと彼女の夫とのツーショットの写真が添付されていた。彼女の表情はもちろん大人びていたが、笑顔の中に私にしびれ芋を食わせたイタズラ娘の面影はしっかりと残っていた。

幼かった彼女の姿にカメラを向け、そして今大人の女性としてオーストラリアに暮らす彼女と、連絡を取り合うことができる喜びを感じずにはいられなかったが、心のどこかでうまく説明はできないのだが、一抹の寂しさを感じた。

イサリ、カルパナ、クリシュナ、アルジュン、カレ、モニカ、リラ、ビザイ。私がカメラを向けた子どもたちは、当たり前だが、誰もが、子どもから大人となり、そして老い、死を迎える。あの当時の面影は、時の移ろいとともに、変わっていく。彼らが子どもだったからこそ、私はカメラを向けた。人生というものも四季のようなもので、子どもの頃というのは、若葉が風にそよぐ爽やかな春である。あれから二〇年以上が過ぎ、彼らの人生も初夏を迎えたころだろうか。私は二度と巡って来ない季節にカメラを向けたことになる。私は一〇年以上の時を経て、ソウラハを訪ねたわけだが、彼らと再会できた喜びと同時に、当時の爽やかな記憶は、そのままにしておくべきだったのかなという気持ちも心のどこかに湧いてきたのも偽りのない心境である。それがイサリのメールを見て、一抹の寂しさを感じた理由なのかもしれない。

泥から生まれたように、無邪気に遊んでいたソウラハの子どもたち、私は一心不乱に彼らにカメラを向けた。言って見れば、不細工な写真である。当時はそんなことをまったく意図などしていなかったが、二〇年以上の時を経てその写真を眺めてみると、今では写すことができない、空気が写り込んでいると思った。

その空気とは、彼らと過ごした時間というものが、作り出したものなのかもしれないなと思った。

写真というものは、目の前の事象を記録するだけでなく、被写体と撮影者の関係性をも写し出す。あの当時の私も、彼らもすでに過去のものであり、あの時のように時間を共有することもない。

私は、寂しさだけでなく、戻って来ない日々の懐かしさによって、胸を締め付けられる苦しさを感じることがある。それは、寝る前の時間であったり、車を運転している時であったり、何の前触れもなく突然やってくる。

胸の苦しさと同時に、あの懐かしい日々が頭の中を駆け巡るのである。そんな苦しさを感じるようになったのは、ここ数年のことである。時に思い出というものは、苦く重いものだということを感じる日々である。
今回ネパールで撮りためた写真をまとめるにあたって、論創社の谷川茂さんにお世話になりました。写真を気に入ってくれて、このような機会をいただけたことに感謝の思いしかありません。ありがとう。

二〇二四年四月　八木澤高明

八木澤高明（やぎさわ・たかあき）

1972年神奈川県生まれ。ノンフィクション作家。写真週刊誌カメラマンを経て、フリーランスとして執筆活動に入る。世間が目を向けない人間を対象に国内はもとより世界各地を取材し、『マオキッズ　毛沢東の子どもたちを巡る旅』（小学館）で小学館ノンフィクション大賞優秀賞を受賞。近著に『忘れられた日本史の現場を歩く』（辰巳出版）がある。

論創ノンフィクション 052

カルパナ

ネパールの子どもたち、20年の記録

2024年7月1日　初版第1刷発行

著　者　八木澤高明

発行者　森下紀夫

発行所　論創社

東京都千代田区神田神保町 2-23　北井ビル

電話　03（3264）5254　振替口座　00160-1-155266

カバーデザイン　奥定泰之

組版・本文デザイン　アジュール

印刷・製本　精文堂印刷株式会社

編　集　谷川 茂

ISBN 978-4-8460-2322-5 C0036